Dr. Elmer

LO QUE TODO
MAESTRO
DEBE SABER

24 SECRETOS
que le ayudarán a cambiar vidas

Biblioteca del
EDUCADOR CRISTIANO

DR. ELMER TOWNS

LO QUE TODO
MAESTRO
DEBE SABER

EDITORIAL

LO QUE TODO MAESTRO DEBE SABER
24 Secretos

© 2011 Elmer Towns
Publicado por Editorial Patmos Weston, FL EE.UU.

Todos los derechos reservados.

Publicado originalmente in inglés por Regal Books, un ministerio de Gospel Light,
Ventura, CA EE.UU.

Traducido por Wendy Bello
Adaptación de diseño gráfico por Suzane Barboza

Categoría: Pedagogía / Educación cristiana
ISBN: 978-1-58802-429-9
Impreso en Brasil

Elogios para
Lo que todo maestro debe saber

El Dr. Elmer Towns cautiva nuestros corazones con el increíble potencial que puede tener un maestro al describir su propia experiencia siendo un jovencito que no tenía costumbre de asistir a la iglesia y que conoció a Cristo mediante la vida fiel de su maestro de la Escuela Dominical. Luego presenta un caudal de herramientas sencillas pero prácticas para aumentar la eficacia personal en el rol de maestro. Tanto las experiencias de su vida como su instrucción profesional lo capacitan para ofrecer en este libro un recurso efectivo.

Sra. Vonette Bright
Cofundadora de la Cruzada Estudiantil y Profesional para Cristo
Orlando, Florida

Elmer Towns es un amante de la Escuela Dominical. Él piensa, ora y sufre por la Escuela Dominical. Lo conocí cuando estaba haciendo investigaciones sobre las diez escuelas dominicales más grandes de los Estados Unidos. Cuando él me entrevistó sentí su pasión por la Escuela Dominical. Cuando juntos fundamos la universidad Liberty, involucramos a todos nuestros primeros alumnos en la Escuela Dominical. Él me ha desafiado a hacer de la iglesia Thomas Road Baptist Church una iglesia que enseña para que podamos cumplir con la gran comisión. Y durante los últimos 15 años el Dr. Towns ha impartido mi clase bíblica del pastor a más de mil personas semanalmente. Ya que la mayor de las verdades se puede expresar sucintamente, creo que el Dr. Towns ha escrito un gran libro acerca de la Escuela Dominical.

Jerry Falwell
Pastor de la iglesia *Thomas Road Baptist Church* en Lynchburg, Virginia

Enseñar a una clase llena de niños un domingo por la mañana puede ser un desafío formidable. ¡Algunas personas consideran que sobrevivir es una victoria! *Lo que todo maestro de Escuela Dominical debe saber,* del Dr. Elmer Towns, le ayudará a llegar más allá, le ayudará a destacarse en el cumplimiento del mandato de Cristo que dice "haced discípulos... enseñándoles que guarden todas las cosas que os he mandado" (Mateo 28:19-20). Este libro, que se lee rápidamente y está lleno de valiosa sabiduría, es un recurso preciado y una buena inversión. Lo recomiendo sin reservas.

Franklin Graham
Presidente de la organización *Samaritan's Purse*
Boone, North Carolina

Elmer Towns es un recurso y un motivador para líderes y obreros cristianos que no tiene fin, siempre con un sentido práctico y con un propósito espiritual.

Jack W. Hayford
Pastor fundador de *The Church on the Way*
Presidente y rector de *The King's Seminary*
Van Nuys, California

Este es uno de esos libros que llena con información útil y práctica un espacio descuidado. El estudio bíblico es una de las mayores necesidades de los Estados Unidos en la actualidad, y el escenario clásico para el estudio bíblico es el ambiente de la Escuela Dominical. Yo creo que el Dr. Towns explota un recurso vital del empeño cristiano con este manual para maestros de la Escuela Dominical.

D. James Kennedy
Pastor principal de la iglesia *Coral Ridge Presbyterian Church*
Fort Lauderdale, Florida

Elmer Towns sabe más de servir a Dios como maestro de la Escuela Dominical que ninguna otra persona en los Estados Unidos. Durante más de 40 años él ha promovido la Escuela Dominical como una parte vital del ministerio de la iglesia, y ha dado el ejemplo ya que él imparte una de las clases más dinámicas de todo el país. Este libro es breve, conciso y ayudará a capacitar a todos los interesados en servir a Dios mediante sus iglesias locales.

Tim LaHaye
Autor, educador y ministro
El Cajon, California

¡El "Sr. Escuela Dominical" lo logro otra vez! ¡Práctico, útil, actual y motivador! Al embarcarnos en la nueva jornada de la educación cristiana en el siglo 21, entendemos que vivimos y ministramos en tiempos cambiantes. ¡Gracias a Dios por maestros como el Dr. Elmer Towns quien comprende la necesidad del cambio pero mantiene constancia y coherencia en la promoción de la causa de la Escuela Dominical! Este libro será de gran valor para aquellos que se esfuerzan por capacitar a maestros que necesitan ayuda rápida y concisa para discipular y enseñar a una nueva generación de eruditos bíblicos. La sencillez de estilo y técnica hace que sea fácil de usar en una sociedad que siempre está apurada y no tiene mucho tiempo extra.

Tony P. Lane
Maestro internacional de la Escuela Dominical y Coordinador de
Educación Cristiana - Oficinas de *Church of God International*
Cleveland, Tennessee

Contenido

PREFACIO

Recuerdo haber escuchado de niño que mi padre y muchos otros se referían a Elmer Towns como "el Sr. Escuela Dominical". Cuando crecí entendí lo bien merecido que tenía el título. Elmer ha estudiado cada aspecto de la enseñanza en la Escuela Dominical, ha enseñado a todos los niveles y ha hablado en concentraciones de la Escuela Dominical en todos los estados de nuestra nación. A lo largo de las décadas, desde que impartió su primera clase de Escuela Dominical, Elmer ha mostrado pasión por enseñar la Biblia y su pasión ha llevado a innumerables personas a recibir una base sólida en las escrituras y les ha capacitado para llevar a la próxima generación a recibir lo mismo. Él sigue influenciando muchas vidas en su papel de decano de la Facultad de Religión de la universidad Liberty y como maestro de la clase de Escuela Dominical del pastor, con dos mil miembros, en la iglesia Thomas Road Baptist Church en Lynchburg, Virginia. Elmer Towns está comprometido con todo el cuerpo de Cristo y ha hablado sobre la Escuela Dominical en todos los grupos de fe evangélica. Sin embargo, está de regreso cada domingo para impartir su propia clase de Escuela Dominical.

Me emociona *Lo que todo maestro debe saber* porque contiene sabiduría sobre la enseñanza acumulada durante toda una vida y proveniente de un siervo de Dios de eficacia probada. Este libro es una referencia maravillosa para ayudarle a crecer en Cristo mientras usted estudia las Escrituras por sí mismo y se vuelve más hábil en la enseñanza de las mismas. Por favor no le de un vistazo al libro de Elmer. Léalo atentamente y trate la información que contiene como si fuera oro. Usted disfrutará descubrir las pepitas de sabiduría que se ofrecen en cada unos de sus breves capítulos. Los consejos que encontrará aportarán mucho a su propia experiencia en la enseñanza de la Biblia. Usted no tiene que saberlo todo cuando llega al aula, pero oro para que desee convertirse en un maestro que sienta pasión por influenciar a otros con el mensaje transformador de la Palabra de Dios. *Lo que todo maestro de debe saber* me ha bendecido como me ha bendecido como maestro de la Escuela Dominical al ser un libro que le guiará por ese camino. Este libro es un rico tesoro que fluye de una vida abundante.

Bill Greig III
Presidente de *Gospel Light* - Maestro de la Escuela Dominical,
Iglesia *Community Presbyterian Church* - Ventura, California

Introducción

Ya que usted no tiene tiempo para leerse una enciclopedia acerca de la enseñaza, escribí este libro breve pero conciso y lo llené de "secretos" para lograr una enseñanza eficaz en la Escuela Dominical. Y ya que usted vive en un mundo moderno, escribí este libro con sabiduría y consejos prácticos de una manera actual que se basa en principios bíblicos eternos. Hay muchas personas que trabajan en la Escuela Dominical y que no siempre saben lo que están haciendo, así que compilé un libro fácil de usar para ayudarles a dar los primeros pasos en la edificación de una clase de Escuela Dominical saludable y productiva. Este libro es un ejemplo de un material excelente para la enseñanza que tiene un contenido bíblico, alcance y secuencia exhaustivos; objetivos bíblicos bien diseñados y sugerencias de actividades para el aprendizaje de la Biblia; preguntas significativas para debates y conversaciones dirigidas para hacer que cada lección sea un éxito. Algunas de las técnicas de enseñanza y de las actividades sugeridas en el libro son adecuadas para grupos de edades específicas (como se señala en el texto). Sin embargo, muchos de los principios que se tratan son aplicables a todas las edades. Ya sea que usted trabaje con un currículo preparado o que usted diseñe sus propias lecciones, para hacer bien el trabajo, usted necesita comprender los principios básicos de una buena enseñanza. Este libro ofrece ayuda fundamental para preparar a todos los maestros para sus situaciones y necesidades específicas de su grupo. Léalo, disfrútelo y aborde la información con un corazón dispuesto a aprender y a servir mejor al Señor.

USTED PUEDE MARCAR LA DIFERENCIA EN UNA VIDA

Mi primera noción de la Escuela Dominical llegó a través de Jimmy Breland. Él era un maestro de la Escuela Dominical en la Iglesia Presbiteriana de Eastern Heights en Savannah, Georgia, quien se ganaba la vida como vendedor ambulante de Jewel Tea and Coffee. Era el final de la Depresión, finalizando los años 1930, cuando Jimmy vino a nuestra casa y esparció su mercancía en el suelo de la sala. Cuando comenzó a vender los artículos para café y té a mi madre, yo entré a la habitación.

—¿Adónde vas para la Escuela Dominical? —preguntó el vendedor.

—¿Qué es la Escuela Dominical? —contesté yo. Jimmy explicó que la Escuela Dominical era un lugar donde contaban historias, cantaban canciones, se hacían dibujos y se jugaba en una mesa de arena.

—¿Qué es una mesa de arena? —pregunté yo inocentemente. Jimmy percibía mi interés en la mesa de arena. Yo era como un pez en el sedal.

—Si vienes a la Escuela Dominical, haremos una montaña de arena y te mostraré cómo Jesús andaba por las montañas. Esa fue la primera vez que yo recuerdo haber escuchado el nombre de Jesús. Entonces él dijo:

—Vamos a poner un espejo en la arena y será un lago. Te mostraré cómo Jesús caminó sobre el agua. —Como caminar por el río Savannah —dije yo muy entusiasmado—. Entonces le dije a mi madre que quería ir a la Escuela Dominical.

—Con calma —dijo mi madre con sarcasmo—. Ella y padre pasaban el tiempo en tabernas, bebiendo y bailando. Estaban tratando de alejarse de Dios y de la iglesia. Mi madre pensó que el entusiasta vendedor de té y café podría representar una secta, así que le preguntó:

—¿Cuál es la iglesia?

—La Iglesia Presbiteriana de Eastern Heights —contestó Jimmy.

Mi madre se había casado en una pequeña iglesia presbiteriana en Carolina del Sur, así que se le hacía difícil objetar. Entonces dijo:

—¿Dónde se encuentra?

Cuando Jimmy explicó que la iglesia estaba a unas cinco millas, ella dijo:

—Él es muy pequeño, se perdería. Jimmy Breland se viró hacia mí y dijo:

—¿Ves ese camión negro grande que está frente a la puerta? —Yo podía ver las grandes letras doradas en el panel negro brillante del camión: JEWEL TEA AND COFFEE—. ¿Quieres ir en mi camión a la Escuela Dominical? —Claro —fue todo lo que pude decir. La iglesia de Jimmy estaba en un barrio que se había ido a la bancarrota durante la Depresión. Mi madre argumentó que muchas de las casas eran armazones sin terminar con zanjas profundas adentro y alrededor y le preocupaba mi seguridad. Entonces ella dijo:

—Espere a que esté en primer grado. Entonces usted podrá llevarlo a la Escuela Dominical. Unos meses después, en septiembre de 1938, entré a primer grado. El siguiente domingo en la mañana, yo estaba esperando en el portal. Llevaba puestos pantalones cortos blancos y almidonados y el cabello aplastado con aceite. Lloviznaba, y pronto Jimmy Breland apareció manejando por la calle en su camión, salpicando por los charcos de barro. Él me llevó a la Escuela Dominical y nunca falté un domingo durante los catorce años siguientes. Jimmy Breland fue más que un taxista de la Escuela Dominical. Fue mi pastor y me enseñó la Biblia y los valores cristianos. Se convirtió en mi consejero, mi mentor, y ya que mi padre era un alcohólico, se convirtió en el modelo de conducta sustituto de un padre. Siempre me enseñaba y me hacía pensar en la vida. Una vez cuando de casualidad pasó manejando por el patio de la escuela, me salvó de que me dieran una paliza en una pelea. Mientras me llevaba a casa me preguntó: "¿Qué haría Jesús?"

Jimmy Breland, que solo llegó al octavo grado, nunca se convirtió en oficial de la iglesia y nunca fue propietario de una casa, ni de un auto. Siempre tuvo trabajo como chofer de un camión, porque el dinero estaba escaso. Así que iba a la Escuela Dominical en un camión de Jewel Tea and Coffee, un camión de Atlantic Richfield y un camión de linóleo. Yo no fui el único que recibió la influencia de Jimmy Breland, de mi clase de 25 chicos, 19 se dedicaron a algún tipo de servicio cristiano a tiempo completo. Cuando conté la historia de Jimmy Breland en el Congreso Nacional de Obreros Infantiles en San Diego, California, una señora vino corriendo por el pasillo para decirme que ella y otras de su clase también recibieron la influencia de Jimmy Breland, ocho años después de yo haber estado en su clase. Sin mucha educación, experiencia como oficial de la iglesia ni reconocimiento público, Jimmy Breland marcó una diferencia en mi vida y en las vidas de muchos otros. Usted puede hacer lo mismo. Usted puede influenciar una vida para Cristo.

> *Sin mucha educación, experiencia como oficial de la iglesia ni reconocimiento público, usted puede influenciar una vida para Cristo.*

CAPÍTULO 2

DIOS PUEDE USARLE

Juan no se había ofrecido como voluntario para ayudar en la Escuela Dominical porque nunca terminó la secundaria y no se sentía capacitado para ser maestro. Cuando su amigo le pidió que se sentara en la clase de niños de edad intermedia para ayudar a controlar el ruido y las distracciones, él estuvo de acuerdo. Juan era un hombre grande y antes de su conversión tenía fama de alborotador. Como resultado, todavía hablaba en voz alta y sin ambages. Se pensaba que la presencia de Juan tranquilizaría a los chicos problemáticos. Después de estar un domingo en la clase, Juan le dijo bromeando a su amigo maestro: "Yo también me portaría mal, ¡eres aburrido!"

El domingo siguiente Juan contó la historia bíblica y los chicos escucharon, embelesados, por su tamaño y también por sus gestos bulliciosos. Con el tiempo Juan contaba historias bíblicas a todo el departamento de intermedios y se convirtió en un maestro eficaz para niños pequeños. Tal vez usted crea que Dios nunca podría usarle, por motivos diferentes a los de Juan. Pero los motivos son igualmente cruciales para la percepción que usted tiene de sí mismo. La gente no se involucra en la Escuela Dominical por asuntos tales como una mala imagen de sí mismo, falta de confianza en que Dios obre a través de ellos, o falta de sabiduría para saber dónde y cuándo servir. A continuación aparecen algunas ideas que creo es importante considerar cuando usted piensa en servir en la Escuela Dominical.

Manténgase fiel

Si usted piensa que Dios no pudiera usarle, recuerde que él no le pide que usted tenga éxito; le pide que esté dispuesto a servirle y a ser fiel en la tarea que él le da. Puede que Dios le llame a ser el secretario de la clase, el monitor de memorización de las Escrituras o un asistente como Juan, quien descubrió que él podía contar una historia bíblica con gran eficacia. Sea fiel al llamado de Dios porque él usa a la gente fiel.

Algunas personas no trabajan en la Escuela Dominical porque piensan que los resultados espirituales están en sus manos. Pero recuerde, no es responsabilidad suya "obrar en los corazones de los alumnos". Eso es responsabilidad de Dios. Su responsabilidad es pedir en oración la bendición de Dios, prepararse con esmero y presentar la verdad de Dios fielmente. No se limite porque le preocupan los resultados. Sea fiel al presentar la verdad de Dios a los alumnos, y luego confíe en que Dios hará que la lección sea real en sus vidas.

Esté disponible

Pedro y Juan subieron al templo a la hora de la oración. Se encontraron con un cojo que pedía dinero. Los dos discípulos no tenían nada, así que Pedro dijo: "No tengo plata ni oro, pero lo que tengo te doy; en el nombre de Jesucristo de Nazaret, levántate y anda" (Hechos 3:6). El cojo fue sanado. Observe que Pedro y Juan fueron usados por Dios porque fueron al lugar indicado. ¿Es la casa de Dios el lugar indicado para que usted trabaje? Ellos fueron en el momento adecuado (es decir, la hora de la oración). ¿Es el domingo en la mañana el momento adecuado para que usted sirva a Dios? Ellos tuvieron la actitud correcta (es decir, estaban conscientes de sus limitaciones). Si usted tiene dudas en cuanto a si Dios puede usarle, considere cómo Dios usó a Pedro y a Juan. Lo único que podían ofrecerle al hombre era el mensaje de Jesucristo. Esa debiera ser su respuesta también. Dios puede usarle cuando usted da el mensaje correcto. Algunas personar pudieran no servir porque no tienen tiempo o están demasiado ocupadas. Eso puede ser verdad. En la sociedad actual la mayoría de las personas están más ocupadas que nunca. Eso significa que usted tendrá que organizar la prioridad de su tiempo. Asegúrese de poner las cosas más importantes al principio de su horario. Eso debe incluir el estudio de la Biblia, la oración y la asistencia a la iglesia. Pero también debe incluir tiempo para servir al Señor. Jesús dijo: "Si alguno quiere venir en pos de mí,

> *Dios usa a aquellos que quieren ser útiles.*

Niéguese a sí mismo, tome su cruz cada día, y sígame" (Lucas 9:23). Pudiera ser un sacrificio trabajar en la Escuela Dominical, pero también pudiera ser algo que usted debe hacer. Tal vez tenga que negarse a sí mismo algún otro placer, pero Dios le recompensará por hacerlo.

CREA EN SU PROMESA

Dios le ha prometido que si usted exalta a su hijo, el mensaje de Jesucristo atraerá a sus alumnos a la salvación. "Y yo, si fuere levantado…a todos atraeré a mí mismo" (Juan 12:32). Dios le usará cuando usted tenga la actitud correcta y el mensaje adecuado. Cuando usted le sirva fielmente, su ministerio de la Escuela Dominical será usado por Dios. Él usa a aquellos que quieren ser útiles.

CAPÍTULO 3

DIOS LE HA CAPACITADO

En 1928 una joven soltera llamada Henrietta Mears fue invitada a servir como directora de Educación Cristiana en la Iglesia Presbiteriana de Hollywood en California. En aquel momento nadie pudiera haber imaginado lo significativo que sería su ministerio. En una época en la que el ministerio se consideraba en su mayor parte como algo de los hombres, Henrietta Mears marcó la diferencia en una iglesia del sur de California, una diferencia que cambió al mundo. Para Henrietta la Escuela Dominical era el eje de los ministerios educacionales, así que dedicó mucha energía y recursos a la edificación de una Escuela Dominical fuerte. Najo su liderazgo la asistencia a la Escuela Dominical creció de un promedio de menos de 400 alumnos a más de 4,000 asistentes cada semana. Al igual que muchas otras iglesias en los Estados Unidos a principios del siglo veinte, la iglesia de Henrietta usaba un currículo unificado en toda la Escuela Dominical. Eso significaba que todo el mundo en la Escuela Dominical estudiaba la misma lección independientemente de la clase a la que asistieran. Aunque Henrietta comprendía la lógica de este método, la parecía que había una manera mejor de involucrar a la gente en el estudio de la Biblia. Ella diseño un currículo para la Escuela Dominical que abarcaba toda la Biblia y que tenía lecciones separadas para cada edad de las clases de la Escuela Dominical. A ella le encantaba decir: "Yo no gradué a los niños, fue Dios". Ya que ella quería material de la Escuela Dominical para cada edad, comenzó a escribir su propio currículo que con el tiempo se convirtió en el fundamento para el currículo de Gospel Light. Su curso para el onceno grado, un estudio libro por libro de toda la Biblia, se publicó bajo el título *What the Bible Is All About* [De qué trata la Biblia]. Todavía se usa a nivel internacional como un recurso para el estudio bíblico. Henrietta Mears no se contentaba con solo dirigir una Escuela Dominical y preparar a los maestros para enseñar. Ella sentía un amor profundo por la enseñanza y se designó como maestra de una clase de alumnos universitarios. Su clase creció hasta llegar a tener unos 600 estudiantes universitarios, muchos de los cuales fueron salvos o llamados al servicio cristiano a tiempo completo durante su ministerio. Entre los que recibieron su influencia estuvo Richard Halverson, quien luego sirvió como capellán del Senado de los Estados Unidos, y Bill y Vonnette Bright, quienes fundaron

> *Para ser un maestro eficaz usted debe descubrir e identificar sus dones espirituales específicos. Sus dones son las habilidades o talentos que Dios usa para hacer su obra.*

y dirigieron la Cruzada Estudiantil y Profesional para Cristo hasta llegar a convertirse en una institución de puntería internacional para alcanzar a los jóvenes. Hasta Billy Graham identificó su visita a Forest Home, un lugar para retiros de la iglesia que desarrolló Henrietta Mears, un punto decisivo en el comienzo de su ministerio. En un debate entre los líderes de la Escuela Dominical, Henrietta Mears fue identificada como la líderes femenina más grande en el movimiento de la Escuela Dominical del siglo veinte. Ella aprendió a descubrir y usar los dones que Dios le había dado para poder maximizar su eficacia en el ministerio. Para ser un maestro eficaz usted debe descubrir e identificar sus dones espirituales específicos. Sus dones son las habilidades o talentos que Dios usa para hacer su obra. Piense en todos los dones espirituales que tienen la tendencia a enfocarse en tareas y que moldean la manera en que usted desarrolla el ministerio para Dios. Estos nueve dones tipo tarea incluyen:

- evangelismo (ver Efesios 4:11)
- profecía (ver Romanos 12:6)
- enseñanza (ver Romanos 12:7)
- exhortación (ver Romanos 12:8)
- pastorear (ver Efesios 4:11)
- misericordia (ver Romanos 12:8)
- ministerio (ver Romanos 12:7; 1 Corintios 12:28)
- dar (ver Romanos 12:8)
- administración (ver Romanos 12:8; 1 Corintios 12:28)

La meta de Dios al darnos dones no es simplemente ayudarnos a desarrollar etiquetas para el ministerio sino también ayudarnos a encontrar maneras de ser eficientes en el ministerio. Cuando usted conozca su don, comience a pensar en cómo puede usar ese don como maestro de la Escuela Dominical. Si usted tiene el don de evangelismo, busque maneras de incorporar el evangelismo a sus lecciones para llevar a sus alumnos a Cristo. Si usted tiene el don de profecía, Dios puede usarle para indicar a otros la Palabra de Dios para ellos y en muchas ocasiones, ayudarles a descubrir el pecado en sus vidas. Si usted tiene el don de la enseñanza, estudie mucho para comunicar el mensaje de la Biblia con precisión. Si usted tiene el don de la exhortación, motive a sus alumnos para que apliquen la lección de manera práctica. Si usted tiene el don de pastorear, cuide del rebaño de la Escuela Dominical que le ha sido dado para supervisar. Si tiene el don de mostrar misericordia, esté atento a maneras en las que puede aconsejar a los miembros de su clase. Si tiene el don del servicio, busque maneras de enseñar las implicaciones prácticas de la Escritura al ayudar a otros. Si usted tiene el don de dar, use los conocimientos adquiridos para ayudar a otros con la mayordomía. Si tiene el don de la administración, administre bien las experiencias de aprendizaje en su clase.

Dios le ha dado una combinación única de dones espirituales para lograr un propósito único que llevará a resultados únicos, pero usted debe estar dispuesto a usar sus dones para glorificar a Dios. Aunque la mayoría de los cristianos tiene un don espiritual predominante, no es algo raro tener una mezcla de dones. Dios le capacitó para las tareas específicas que él ha planeado que logre. El reconocimiento de sus dones espirituales le ayudará a discernir la voluntad de Dios para su vida y ministerio. No todos los maestros pueden lograr lo que Henrietta Mears logró, porque Dios no ha dado a todo el mundo los mismos dones que le dio a ella. Pero cada maestro puede lograr algo que Henrietta Mean no pudo lograr porque Dios nos ha dado dones particulares a cada uno para un ministerio hecho a la medida.

Puede que un inventario de los dones espirituales le resulte una herramienta útil para identificar sus dones. Un ejemplo de dicha herramienta fue la que denominé Spiritual Gift Test [Examen de dones espirituales] y la puede encontrar en www.elmertowns.com. O tal vez usted descubra que conversar con un amigo es una buena manera de descubrir sus dones espirituales. Muchas personas han identificado sus dones mediante el estudio y también mediante experiencias en el ministerio. Para identificar sus dones espirituales, hágase tres preguntas para confirmar sus impresiones iniciales.

Primera pregunta: *¿Concuerda mi manera de pensar en cuanto a los dones espirituales con lo que la Biblia enseña?* Segunda pregunta: *¿Reconocen otros en mí los dones espirituales que yo creo tener?*

> *Dios le ha dado una combinación única de dones espirituales para lograr un propósito único que llevará a resultados únicos, pero usted debe estar dispuesto a usar sus dones para glorificar a Dios.*

Si usted posee ese don, debe ser evidente, al menos en una forma embrionaria, a otros cristianos más maduros y espirituales que usted conozca. Tercera pregunta: *¿Soy eficiente al usar este don en el ministerio?* Cuando usted use sus dones espirituales experimentará una eficacia máxima con un mínimo de esfuerzo.

Dios le ha dado dones para una tarea que solo usted puede hacer. Cuando usted descubra su don espiritual, úselo en el ministerio y siga desarrollándolo para convertirse en un maestro de Escuela Dominical más eficiente que pueda.

CAPÍTULO 4

LOS ALUMNOS APRENDEN DE MANERAS DIFERENTES

Luis sonrío al recordar la clase de Escuela Dominical de esa mañana. Este era su octavo año enseñando a niños de quinto grado en la Escuela Dominical y tal parecía que cada año pasaba por la misma transición. El domingo de promoción siempre se programaba para el fin de semana del Día del Trabajo, así que cada mes de septiembre él recibía un nuevo grupo para enseñar. Aprenderse el nombre de cada niño era un reto suficiente, mucho menos descubrir que el Gustavo de este año tenía intereses completamente diferentes al Gustavo del año pasado. Y ahí estaba Carlos. Hace dos años Luis fue maestro de Marcos, el hermano mayor de Carlos, pero al parecer Carlos no se parecía en nada a Marcos. Luego de ocho años, Luis había aprendido mucho sobre los chicos de quinto grado, pero mientras más aprendía, más comprendía que no hay dos chicos de quinto grado que sean exactamente iguales.

Enseñar al mismo nivel en la Escuela Dominical tiene sus ventajas, pero los maestros deben comprender que no hay dos grupos exactamente iguales. Ya que cada alumno tiene padres diferentes, intereses diferentes y pasatiempos diferentes, llegar a conocer un grupo nuevo de alumnos es un reto anual. Aceptar dicho reto le convertirá en un mejor maestro de la Escuela Dominical.

Conozca los seis niveles de aprendizaje Como maestro de la Escuela Dominical usted debe saber que los alumnos aprenden a velocidad y niveles diferentes. Usted será más eficaz como maestro cuando entienda el nivel de aprendizaje de cada alumno y enseñe a dicho nivel de manera que cada persona llegue a niveles más altos a su propio ritmo en el aprendizaje. Los psicólogos educacionales sugieren que existen seis niveles de aprendizaje:

1. *Conocimiento:* la capacidad de recordar el material aprendido. En este nivel sus alumnos recuerdo u organizan la información, las ideas y los principios de manera muy similar a la que se enseñó. Pueden responder a preguntas como: "¿Qué pasó cuando...?" o "Enumere las características de..."

2. *Comprensión:* la capacidad de comprender el significado del material. En este nivel sus alumnos comienzan a comprender la información al punto en que pueden repetirla con sus propias palabras. Pueden responder a preguntas como: "¿Qué significa esto?" o "Explique el motivo..."

3. *Aplicación:* la capacidad de relacionar la lección con una nueva situación. A este nivel sus alumnos pueden tomar la información y los principios aprendidos y solucionar problemas con un mínimo de dirección. Pueden responder a preguntas como: "¿Qué sucedería si...?" o "¿Qué harían si...?"

4. *Análisis:* la capacidad de desglosar un problema o idea mayor en partes. A este nivel los alumnos están pensando con lógica y son capaces de razonar de manera tanto inductiva como deductiva. Pueden responder a preguntas como: "¿Qué hizo que él actuara de esa manera?" o "Establezca la diferencia entre los hechos y las opiniones en la presentación de ella".

5. *Síntesis:* la capacidad de unir las partes para crear una fun-

ción o forma nueva. A este nivel sus alumnos pueden traducir las ideas en una nueva aplicación tal y como un inventor aplica los principios científicos para desarrollar un nuevo producto. Pueden responder a preguntas como: "¿Cómo podría usted determinar...?" o "¿Qué haría usted si...?"

6. *Evaluación:* la capacidad para distinguir el valor a la luz de una norma o ley. A este nivel sus alumnos comienzan a distinguir entre lo bueno y lo mejor. Pueden responder a preguntas como: "¿Qué opción sería la más productiva en esta situación?" o "¿Por qué usted escogería _____ en lugar de _____?"

Ya que sus alumnos son diferentes, usted debe comprender que de una misma lección los alumnos aprenden cosas diferentes, a ritmos diferentes, en cantidades diferentes y por motivos diferentes.

> *Ya que sus alumnos son diferentes, usted debe comprender que de una misma lección los alumnos aprenden cosas diferentes, a ritmos diferentes, en cantidades diferentes y por motivos diferentes.*

Mientras mejor usted comprenda a los alumnos que enseña, más eficaz será. Cada uno de sus alumnos llega al aula con influenciado por la cultura, por experiencias anteriores y por su trasfondo familiar, así como por otros factores comunes en personas de la etapa de la vida en particular en que él o ella se encuentra. Una de las razones por las que Jesús era tan eficaz como maestro era su percepción de la naturaleza humana (ver Juan 2:24). De la misma manera, cuando Pablo encargó a tito el ministerio de la enseñanza, se tomó tiempo para recordarle a Tito las tendencias naturales de aquellos a quienes enseñaba (ver Tito 1:10-16).

HAGA UN INVENTARIO

Entonces, ¿cuán bien conoce usted a los alumnos de su clase de Escuela Dominical? Tome una hoja de papel para cada miembro de la clase y comience a escribir todo lo que sabe acerca de cada persona. Comience con cosas sencillas como el nombre, la dirección, el número de teléfono y la fecha de nacimiento. Si usted da clases a adultos, también pudiera anotar la fecha del aniversario de bodas.

Luego comience a describir las relaciones de esa persona. ¿Quiénes son los hermanos, padres y/o hijos? ¿Cómo ha afectado su trasfondo familiar el tipo de persona que él o ella es en la actualidad? ¿Y qué de los amigos? Cuando este alumno está en un grupo, ¿tiene la tendencia de ser líder o seguidor? Todo maestro de la escuela dominical debe preocuparse por la condición espiritual de cada miembro de su clase. Hasta donde usted sabe, ¿cuáles de sus alumnos son cristianos y cuáles todavía no han confiado en Cristo como su Salvador? De los que son cristianos, ¿cómo les va en su vida cristiana? ¿Están practicando disciplinas espirituales que les ayudarán a crecer o están comenzando a descuidar a Dios y a desviarse de su compromiso con Cristo?

Incluya información sobre la educación de los alumnos, sus trabajos o profesiones. ¿Están involucrados en algún programa recreativo? ¿Pertenecen a algún club de pasatiempos en la comunidad? ¿Tiene el alumno algún interés o habilidad especial que pudiera ayudarlo a involucrarse más en su iglesia y en la Escuela Dominical? Hacer este ejercicio para cada uno de sus alumnos le ayuda de dos maneras. Primero le ayuda a tomar nota de cuánto conoce a los alumnos que tiene y le enseñará maneras de ayudarles a aprender a su mayor capacidad. Segundo, este ejercicio pudiera ayudarle a comprender cuánto le queda por saber acerca de sus alumnos. Dé pasos esta semana para comenzar a fomentar relaciones con cada miembro de su clase de manera que pueda conocerlos mejor a todos y convertirse en el mejor maestro de Escuela Dominical que pueda ser.

CAPÍTULO 5

LLEGUE A DOMINAR LO BÁSICO

Vince Lombardi, antiguo entrenador de los Green Bay Packers, equipo profesional de fútbol americano y quien ganó dos veces el campeonato de la NFL (Liga Nacional de Fútbol de los Estados Unidos), comenzaba cada temporada con un balón de fútbol en la mano y les decía a sus veteranos: "¡Esto es un balón de fútbol!" Entonces señalaba a las marcas del terreno para explicar cómo ellos avanzarían el balón, bloquearían a los contrarios y luego correrían y pasarían el balón a la meta para anotar un punto. Un juego ganador comenzaba cuando un equipo dominaba lo básico. Una Escuela Dominical ganadora comienza cuando todos los que forman parte del equipo de la Escuela Dominical dominan lo básico.

La Gran Comisión nos dice que alcancemos a los perdidos, les enseñemos la Palabra de Dios, los ganemos para Jesús y los hagamos madurar en la fe. Esta es la fórmula para una Escuela Dominical próspera.

Ya que nuestra sociedad está cambiando, algunos han sugerido que la época de la Escuela Dominical ya pasó. Yo creo que el futuro de la Escuela Dominical es brillante y Dios seguirá usando la Escuela Dominical como el brazo de alcance de la iglesia. La Escuela Dominical debe adaptar sus técnicas de enseñanza si va a continuar siendo una influencia, pero la Escuela Dominical no debe cambiar su propósito en cuanto a tener relevancia, debe regresar a lo básico.

EL PAPEL DE LA ESCUELA DOMINICAL

La Escuela Dominical no es una agencia independiente de la iglesia más bien es la agencia mejor estructurada de la iglesia local para llevar a cabo de la manera más eficaz el ministerio de enseñanza de Cristo. Este brazo de la iglesia se divide en cuatro partes: alcanzar, enseñar, ganar y cuidar. Así como la iglesia del Nuevo Testamento se construyó sobre la enseñanza y la predicación (ver Hechos 5:42), de la misma manera la iglesia bíblica moderna debe construirse sobre el estudio bíblico en la Escuela Dominical y la exhortación en el servicio de predicación. La Escuela Dominical todavía se define funcionalmente como alcanzar a las personas de manera que usted pueda

> *Una Escuela Dominical saludable hace énfasis*
> *en lo básico de alcanzar, enseñar, ganar y cuidar*
> *espiritualmente a los alumnos.*

Enseñarlas para ganarlas para Cristo y luego cuidar espiritualmente de dichas personas. Esta naturaleza cuádruple de la Escuela Dominical se expresa mejor tal vez en un versículo del Antiguo Testamento que se ha usado a menudo en convenciones de la Escuela Dominical: "Harás congregar al pueblo, varones y mujeres y niños, y tus extranjeros que estuvieren en tus ciudades, para que oigan y aprendan, y teman a Jehová vuestro Dios, y cuiden de cumplir todas las palabras de esta ley" (Deuteronomio 31:12). Este versículo refleja los cuatro aspectos significativos del ministerio de la Escuela Dominical.

LA ESCUELA DOMINICAL ES EL BRAZO DE ALCANCE DE LA IGLESIA

Primero, la Escuela Dominical es el brazo que alcanza a todas las edades para Cristo. "Alcanzar" se define como establecer contacto con una persona y motivarla a que escuche con honestidad el evangelio. Ya que evangelizar es presentar el evangelio, alcanzar es básicamente un pre-evangelismo, ya que hace que las personas escuchen el evangelio. En nuestro pasaje se expresa con la palabra "congregar". Observe que aquellos que se reunieron se identifican como:

* varones,
* mujeres,
* niños, y
* extranjeros.

La mayoría de los miembros de la iglesia tienen a alguien en su marco de influencia que es un extranjero para la iglesia y quien pudiera congregarse en la iglesia.

LA ESCUELA DOMINICAL ES EL BRAZO EDUCACIONAL DE LA IGLESIA

Segundo, la Escuela Dominical es el brazo educacional de la iglesia. "Enseñar" significa dirigir las actividades de aprendizaje que satisfacen las necesidades humanas. El primer paso de la enseñanza se expresa en el versículo con las palabras "para que oigan". El último paso de la enseñanza es "y aprendan".

LA ESCUELA DOMINICAL ES EL BRAZO GANADOR DE LA IGLESIA

La Escuela Dominical también es el brazo de la iglesia que gana a la gente para Cristo. "Ganar" se define como comunicar el evangelio de forma comprensible y motivar a la persona para que responda a Cristo. La expresión del Antiguo Testamento "y teman al Señor" significa llevar a la persona a una confianza reverente en Dios. Era un concepto de salvación. Hoy podríamos describir a una persona "teme al Señor" como alguien que recibe a Cristo o confía en el Señor para alcanzar salvación.

LA ESCUELA DOMINICAL ES EL BRAZO DE CUIDADO DE LA IGLESIA

Por último la Escuela Dominical es el brazo de la iglesia que brinda cuidado espiritual a todos los miembros. Uno de los objetivos de cada Escuela Dominical es cuidar en el sentido espiritual a todos para que todos "cuiden de cumplir todas las palabras de esta ley". Algunas personas llaman a este cuidado educar y otros lo llaman madurar.

La Escuela Dominical es el brazo de alcance, el brazo educativo, el brazo ganador y el brazo de cuidado de la iglesia. Sin embargo, esta definición se convierte en un mosaico cuando se aplica a las iglesias individuales. Así como se necesitan todas las piezas de losa para hacer un mosaico, así se necesitan los cuatro aspectos de la definición para describir una hermosa Escuela Dominical. La belleza del mosaico se puede destruir cuando nos enfocamos en una sola sección y perdemos noción del cuadro en general. Esto sucede cuando una iglesia demuestra un fuerte énfasis en solo un aspecto como ganar una abundancia de visitantes debido a un énfasis en el que predomina un ministerio de alcance en autobuses. El enfoque en el alcance hace que una iglesia pierda la perspectiva en cuanto a la enseñanza, el ganar almas o cuidar de ellas.

Algunas iglesias tienen una Escuela Dominical con una fuerte enseñanza, muy comprometida con el dominio de la Biblia pero no tienen alcance. Otras están comprometidas con ganar almas, su éxito se mide en base a cuántas personas han ganado para Cristo o cuántas han preparado para la membresía de la iglesia, pero no tienen pasión por supervisar a los alumnos y ayudarlos a crecer en Cristo. Por último, algunas Escuelas Dominicales hacen un gran trabajo cuidando de sus alumnos pero ignoran los otros tres objetivos.

Por importante que sea cada función, no olvide edificar una Escuela Dominical equilibrada. La Escuela Dominical saludable desempeñará los cuatro ministerios de la misma manera. Para hacer que su Escuela Dominical sea saludable, cubra los cuatro elementos básicos con sus alumnos: alcanzar, enseñar, ganar y cuidar espiritualmente.

CAPÍTULO 6

LA ENSEÑANZA EFICAZ COMIENZA DE RODILLAS

Cuando Miguel llegó a casa el domingo luego de cenar en un restaurante de la ciudad con su esposa, tomó su Biblia, su manual de la Escuela Dominical y el libro de la clase que estaban en el asiento trasero del auto y los llevó a la sala familiar. Cerró la puerta de su estudio, abrió el libro de la clase y comenzó a orar por sus alumnos. Cada nombre representaba a alguien que Miguel entendía que Dios había puesto bajo su cuidado. La oración de este domingo en la tarde era la primera de varias que ocurrirían esa semana.

Miguel le dio gracias a Dios por la oportunidad de enseñar. Cada semana él experimentaba una sensación de satisfacción al enseñar la lección y ver la respuesta entre los miembros del grupo cuando descubrían algo sobre Dios o sobre sí mismos. También le dio gracias a Dios por cada persona que había estado en la clase esa mañana. Se tomó un par de minutos para pedirle a Dios también que perdonara sus propios defectos como maestro. Este ejercicio le recordó problemas que varios de los miembros de la clase estaban enfrentando y oró por ellos.

Miguel le dio un vistazo a la guía del maestro, observó el teman de la semana siguiente e inmediatamente oró para recibir claridad al comunicar a su clase las verdades de esa lección. Cuando ya había pasado una hora, todo el mundo de la clase había sido mencionado en oración un par de veces. No era la única vez en la que se oraría por ellos esa semana, pero Miguel se comprometió consigo mismo y con el Señor a orar por su clase todos los domingos en la tarde durante una hora. A veces le parecía como si su verdadero ministerio no fuera tanto la enseñanza en la Escuela Dominical como lo era orar por los miembros de su clase los domingos en la tarde.

CINCO MANERAS DE ORAR POR SU CLASE

Usted no está preparado para enseñar hasta que no se haya preparado a sí mismo mediante la oración. La oración implica algo más que dirigir a su clase en oración. La oración de preparación también significa algo más que pedir a Dios que bendiga su tiempo de estudio y preparación. Primero ore para que haya un espíritu fácil de enseñar. Pídale a Dios que le haga fácil de enseñar. Antes de poder enseñar a otros, el Maestro mismo debe enseñarle a usted. Al abordar la lección, pídale a Dios que dirija su estudio. Ore como David, quien dijo: "Abre mis ojos, y miraré las maravillas de tu ley" (Salmo 119:18). Al orar asegúrese de estar dispuesto a aprender. Jesús dijo: "El que quiera hacer la voluntad de Dios, conocerá si la doctrina es de Dios, o si yo hablo por mi propia cuenta" (ver Juan 7:17). Segundo, ore por el ministerio de enseñanza del Espíritu Santo en su clase. Algunas veces usted pudiera sentir que usted es el único canal en el aula, pero no es así, Jesús prometió: "Pero cuando venga el Espíritu de verdad, él os guiará a toda la verdad; porque no hablará por su propia cuenta, sino que hablará todo lo que oyere, y os hará saber las cosas que habrán de venir" (Juan 16:13). Él también dijo: "el Espíritu Santo…os enseñará todas las cosas" (Juan 14:26). Esta promesa se refería a que el Espíritu Santo se convertiría en maestro a través de usted. El Espíritu Santo mora en usted y quiere enseñar a otros a través de usted. Tercero, ore para recibir dirección al preparar la lección. Cada vez que usted se siente frente a las Escrituras durante la preparación de la lección, pídale a Dios que dirija su estudio. La mayoría de los cristianos tiene el hábito de pedir la bendición de Dios para la comida cuando se sientan a cenar.

> *El ministerio más eficaz de un maestro de*
> *Escuela Dominical se logra de rodillas en oración.*

De la misma manera, adquiera el hábito de pedir la bendición de Dios para la Palabra de Dios cuando usted se siente a estudiar. "Fíate de Jehová de todo tu corazón, y no te apoyes en tu propia prudencia. Reconócelo en todos tus caminos, y él enderezará tus veredas" (Proverbios 3:5-6).

Cuarto, ore por los miembros de su clase. Enseñar la Palabra de Dios es un negocio serio con consecuencias eternas. Cuando usted enseña, está intentando cambiar el destino de cada alumno. A los alumnos perdidos se les presentará la salvación, y a los que hayan recaído, se les exhortará a arrepentirse. Usted no puede realizar estos cambios en los corazones de sus alumnos; solo Dios puede hacerlo. Por lo tanto, aproveche el poder Dios al orar para que haya convicción de pecado (ver Juan 16:7-1 1), por el impacto de las Escrituras (ver Romanos1:16) y para que el Espíritu Santo se mueva en la vida de cada alumno (ver Hechos 1:8).

Quinto, ore por el crecimiento de sus alumnos. Dios responde las oraciones de aquellos que piden que su ministerio crezca, pero la oración sola no puede edificar una Escuela Dominical. Dios no hará lo que nos mandó a hacer a nosotros. Se nos manda a alcanzar a las personas. Las clases crecen cuando los maestros están ocupados visitando, llamando por teléfono, mandando cartas y orando...toda la semana. El ministerio más eficaz de un maestro de Escuela Dominical se logra de rodillas en oración.

UN HECHO
VALE MÁS QUE
MIL PALABRAS

Cuando Roberto necesitó una maestro de Escuela Dominical para el departamento de tercer grado, el comenzó a buscar a alguien en la iglesia que fuera fiel en la asistencia y que fuera dedicado al estudio de la Biblia. Como superintendente de la Escuela Dominical tenía la responsabilidad de buscar maestros nuevos. Pensó en María Beatriz, quien mostraba una aguda comprensión del pasaje de la lección en la clase para damas a la que asistía cada semana. Y por lo general estaba bien preparada para el estudio bíblico. Cuando vio a María Beatriz después de la iglesia, le preguntó si le interesaría trabajar con chicas de tercer grado. María Beatriz no sabía qué pensar. Nunca había dado clases en la Escuela Dominical. Ni siquiera estaba segura de lo que hacía un maestro de la Escuela Dominical. Ella había dado por sentado a sus propios maestros de la Escuela Dominical. Varios habían tenido un gran impacto en su vida pero la idea de enseñar nunca había pasado por su mente. En un momento de debilidad María Beatriz estuvo de acuerdo en reunirse con Roberto para hablar de la posibilidad de aceptar el papel de maestra de la Escuela Dominical. No hay otra institución en el mundo como la Escuela Dominical, así que no podemos comparar el papel de un maestro de la Escuela Dominical con alguna otra cosa. Debemos ir a la Palabra de Dios para obtener una descripción.

EL PAPEL DE UN MAESTRO DE LA ESCUELA DOMINICAL

Ya que cada iglesia es diferente, las normas específicas para los maestros serán diferentes en cada iglesia. Una descripción sencilla podría ser: "Todos los obreros designados para esta Escuela Dominical debe ser salvos, deben ser miembros de la iglesia y estar de acuerdo con la posición doctrinal de la iglesia. Serán fieles en su asistencia, en contribuir financieramente y en tratar de vivir la vida cristiana".

Los maestros de la Escuela Dominical no solo deben ser creyentes nacidos de nuevo, sino que también deben haber experimentado la obra de Dios en sus vidas. Para estar calificados para presentar el evangelio de Jesucristo a los inconversos, deben tener la seguridad de su propia salvación y mantener una vida espiritual consecuente al rendirse cada día al Espíritu de Dios. Para hacer esto deben ser capaces de alimentarse a sí mismos de la Palabra de Dios.

> *El maestro de Escuela Dominical es un pastor para los alumnos del rebaño de la Escuela Dominical.*

Los maestros de la Escuela Dominical deben estar de acuerdo con la iglesia local para que haya conflicto en cuanto al propósito. A los alumnos se les enseñan las mismas doctrinas tanto en la Escuela Dominical como en los servicios de adoración.

El papel más importante de un maestro de Escuela Dominical es ser un pastor para los alumnos de su rebaño de la Escuela Dominical. Eso significa que el maestro de la Escuela Dominical tiene la misma responsabilidad para con su clase que el pastor para con el rebaño más grande. Así como el pastor es un ejemplo, también lo es el maestro de la Escuela Dominical. Así como el pastor debe enseñar la Palabra de Dios, también debe hacerlo el maestro de la Escuela Dominical. Así como el pastor debe visitar a los ausentes, también el maestro de la Escuela Dominical debe ir tras aquellos que se descarrían.

Observe cómo las tres responsabilidades del pastor, que se implican en Hechos 20:28-30, se relacionan con un maestro de la Escuela Dominical:

1. *Guiar al rebaño*. Pablo les dijo a los ancianos de Éfeso que debían tomar en serio el seguir a Dios y guiar al rebaño que Dios les había dado para que siguieran a dios. El líder debe dirigir con el ejemplo. Un maestro de la Escuela Dominical es el primer y más importante líder espiritual.

2. *Alimentar al rebano*. Así como el pastor debe alimentar su rebaño, el maestro de la Escuela Dominical debe dar la Palabra de Dios a sus alumnos. Él enseña mediante las conferencias, la narración de historias, los debates de preguntas y respuestas para los estudiantes mayores y la conversación dirigida con los más pequeños. El maestro utiliza ayudas visuales, repetición y explicación. El maestro debe usar todo recurso posible para alcanzar y enseñar a cada alumno.

3. *Cuidar del rebaño*. Pablo advirtió a los ancianos que "los lobos rapaces" vendrían de afuera para intentar destruir el rebaño (v. 29). Por lo tanto, debían ser vigilantes. También les advirtió que se levantarían algunos del propio rebaño para destruirlo. Así como el pastor debe proteger a sus ovejas, un pastor debe proteger a su congregación. Con este mismo ejemplo, el maestro de la Escuela Dominical debe proteger a su rebaño. Esto significa prestar atención al ausentismo que ocurre dos semanas seguidas. El maestro debe enviar una tarjeta por correo, contactar al alumno por teléfono y/o hacerle una visita. Un maestro se ocupa de las ovejas descarriadas. Incluso los enfermos necesitan una "llamada de protección" para animarlos en la fe. El viejo refrán sigue estando vigente: Un maestro que visita en la casa produce un alumno que asiste a la iglesia.

CAPÍTULO 8

ALGO REALMENTE IMPORTANTE

Una maestra principiante de la Escuela Dominical se sentía frustrada porque al parecer no lograba comunicar nada a su grupo. Fue a ver a su maestra favorita, una maestra de Escuela Dominical para chicas de secundaria, para pedirle ayuda. La maestra de secundaria asintió conocedora: "Creo que tuve el mismo problema que estás enfrentando. Cuando empecé a enseñar creía que tenía que enseñar todo lo que sabía, todas las semanas, o al menos todo lo que aparecía en el libro del maestro. Entonces comprendí que si me había tomado veinte años aprender lo que sé, tal vez debía dejar que las chicas se tomaran su tiempo aprendiendo la Biblia. Cuando concentré cada lección en un concepto realmente importante, me convertí en una mejor maestra, y la Escuela Dominical se hizo mucho más placentera". Muchos maestros luchan con la enorme cantidad de enseñanza bíblica que desean comunicar en un tiempo muy limitado. ¿Cómo puede un maestro de Escuela Dominical cubrir todo lo que está en el manual del maestro en los 30 o 40 minutos de enseñanza? Los maestros eficaces han aprendido a limitar cada lección a una verdad central. Enseñar un solo principio facilita el poder alcanzar y enseñar mejor en cada sesión. Y cuando los alumnos comprenden ese principio básico, a menudo pueden descubrir por si solos el resto. Uno de los primeros pasos al preparar el plan de clases es identificar esa verdad o tema central. Si su lección no se desarrolla alrededor de esa verdad central, los miembros de su clase no serán desafiados a aprender. Si usted intenta comunicar demasiado en una sola sesión de aprendizaje, sus alumnos se sentirán abrumados y se desanimarán. Usted solo puede descubrir esa verdad central al invertir tiempo y energía en el estudio de la lección. Esto implica más que la lectura informal de la Escritura. Primero usted necesita definir un tiempo y lugar dedicados a la preparación de la lección. Cuando sea posible, distribuya su tiempo de estudio en varios días en lugar de intentar hacerlo todo de una sola sentada. Esto le dará tiempo para reflexionar en el contenido e identificar la verdad central.

> *Use sus percepciones en cuanto a las personalidades y necesidades únicas de sus alumnos para adaptar el tema central de su lección.*

Si usted usa un currículo, busque ayuda en el título de la lección, las lecturas de tarea y las tareas de memorización. Los que escriben los currículos relacionan todos estos aspectos con la verdad central. Algunos incluso señalan el énfasis principal de la lección en una declaración que antecede a la propia lección. Si usted usa materiales que identifican el tema central, no se sorprenda si el énfasis suyo es similar al que se sugiere en el manual de la lección. Pero no siempre es así. Al buscar un tema central, considere las necesidades particulares de los miembros de su clase. Por útiles que sean los materiales de un currículo, ningún escritor puede preparar materiales hechos a la medida de las necesidades de sus alumnos. Use su percepción en cuando a las personalidades y necesidades de sus alumnos para adaptar el tema central de su lección. Una vez que usted haya identificado el tema central, escriba una oración que de manera concisa declare la verdad fundamental que usted quiere enseñar. Luego deténgase a evaluar su declaración. En su libro *Blueprint for Teaching* [Programa para la enseñanza], John Sisemore sugiere ocho preguntas para ayudarle a evaluar el tema central de su enseñanza.

1. ¿Refleja la declaración el meollo del pasaje de la lección?

2. ¿Apunta la declaración exactamente a la idea que sugiere el título de la lección?

3. ¿Proclama la declaración un principio básico de la verdad bíblica?

4. ¿Contiene la declaración la esencia del aspecto a memorizar?

5. ¿Coincide la declaración con la unidad de estudio?

6. ¿Presenta la declaración un interés, problema o necesidad de la vida actual?

7. ¿Parece adecuada la declaración para su grupo?

8. ¿Concuerda la declaración con todas las enseñanzas de la Biblia con relación a ese tema?[1]

¿Qué sucedería este domingo si sus alumnos aprendiera solamente una verdad bíblica y comenzaran a aplicarla a sus vidas durante la próxima semana? Tal vez no mucho, pero ¿y si eso sucediera todas las semanas? Si usted solo impartiera la clase durante un año, sus alumnos aprenderían 52 principios bíblicos que transforman la vida y experimentarían un crecimiento espiritual significativo en el proceso. ¡Eso sí es una enseñanza eficaz!

Nota

1. Sisemore, John, *Blueprint for Teaching*, Broadman Press, Nashville, TN, 1964.

USTED NO PUEDE DIRIGIR SU CLASE MIENTRAS QUE NO SEPA ADÓNDE SE DIRIGE

David, un joven empresario, tenía dificultades con su clase de escuela dominical. Mientras comía una hamburguesa en un restaurante de comida rápida, comenzó a analizar qué estaba fallando. Todavía estaba pensando en la clase cuando volvió a llenar su vaso de refresco. En la pared que estaba cerca de la máquina dispensadora leyó la conocida placa que identificaba la misión del restaurante. De repente "se le encendió el bombillo". El restaurante tenía éxito porque tenía una declaración de propósitos que daba dirección y objetivos. En cambio, David no sabía adónde se dirigía con su enseñanza y los muchachos no sabían adónde iban en su crecimiento en Cristo.

De pronto David entendió que no pasaría nada en la vida de sus alumnos a menos que él comenzara a planificar y a tener visión para el futuro. Este era un principio que él ya conocía, pero de alguna manera nunca lo había aplicado a su clase de la Escuela Dominical. Él sabía que si uno no tiene un objetivo, no llega a ninguna parte. Cuando David regresó a su mesa, tomó una servilleta y comenzó a enumerar los aspectos de las vidas de sus alumnos en los que él quería influir.

> *Los maestros eficientes saben que un objetivo es la habilidad*
> *más eficaz para producir aprendizaje en cada alumno.*

El arte de tener un objetivo

Los maestros eficientes saben que un objetivo es la habilidad más eficaz para producir aprendizaje en cada alumno. Un objetivo de enseñanza es una declaración clara y concisa de su propósito principal en una lección específica. El apóstol Pablo usó un objetivo para guiar su enfoque: "pero una cosa hago", (Filipenses 3:13). Algunos maestros se niegan a usar objetivos de enseñanza y prefieren explicar cada versículo de la Biblia según les corresponda. Definitivamente ese no era el método que usaban los apóstoles. Pablo explicó su objetivo principal en la enseñanza a los colosenses: "a quien anunciamos, amonestando a todo hombre, y enseñando a todo hombre en toda sabiduría, a fin de presentar perfecto en Cristo Jesús a todo hombre" (Colosenses 1:28). Él amplió su objetivo de enseñanza a su joven alumno Timoteo: "Pero el propósito de nuestra instrucción es el amor nacido de un corazón puro, de una buena conciencia y de una fe sincera" (1 Timoteo 1:5, *Biblia de las Américas*). También era costumbre de los apóstoles utilizar objetivos más inmediatos para dirigir el contenido de lecciones específicas. Cuando Pablo se dirigió a los filósofos del Areópago, volvió a plantear el objetivo de ellos como suyo: "AL DIOS NO CONOCIDO" (Hechos 17:23). Más adelante, cuándo compareció ante el rey Agripa, su objetivo era evangelístico (véase Hechos 26:29).

Tres tipos de objetivos

Dios hizo a las persona con intelecto, emociones y voluntad. Usted debe apelar a los tres pero no siempre en la misma lección. La naturaleza de la lección que se enseña y las necesidades y personalidades únicas de sus alumnos le ayudarán a determinar en cuál de los tres objetivos de enseñanza hará énfasis en cada semana.

1. *Llenar el intelecto.* Un objetivo educacional está relacionado principalmente con aumentar el conocimiento o comprensión que el alumno tiene del material. Este fue el objetivo que caracterizó al ministerio educacional de Esdras cuando él y otros sacerdotes "leían en el libro de la ley de Dios claramente, y ponían el sentido, de modo que entendiesen la lectura" (Nehemías 8:8).

2. *Despierte las emociones.* Un objetivo inspirador apela fundamentalmente a las emociones humanas. Un objetivo inspirador se relaciona principalmente con cambiar las actitudes o ayudar a los alumnos a sentir profundamente el impacto de historias como la oveja perdida, la moneda perdida y el hijo pródigo para ayudarles a entender conceptos clave como la necesidad de arrepentimiento por el pecado.

3. *Desafíe la voluntad.* Un objetivo motivador está relacionado principalmente con llevar a los alumnos a tomar una decisión con respecto a conductas o actitudes y a actuar al aplicar su conocimiento lo que trae como resultado una vida cambiada. Por ejemplo, Jesús contaba parábolas para animar a las personas a orar (ver Lucas 18:1). Él proclamó: "Y él dijo: Antes bienaventurados los que oyen la palabra de Dios, y la guardan" (Lucas 11:28).

¿Qué tres factores influirán al escoger su objetivo de enseñanza? Primero, el contenido que usted planee enseñar influirá en su objetivo. Segundo, las necesidades particulares de sus alumnos influirán en su objetivo. Tercero, su objetivo se verá influenciado por las decisiones que usted desea que sus alumnos tomen a largo plazo. Para escoger un objetivo, a muchos maestros les resultará útil hacer las siguientes preguntas elementales:

1. ¿A quién estoy enseñando?
2. ¿Qué estoy enseñando?
3. ¿Qué estoy tratando de alcanzar?
4. ¿Qué quiero lograr en esta sesión?

Escribir un buen objetivo

Como parte de la preparación de su lección, adquiera el hábito de escribir un objetivo para cada lección. Primero establezca su objetivo desde su perspectiva como maestro. Esto usualmente implica el uso del verbo en infinitivo. El maestro planea instruir o comunicar (objetivos intelectuales), animar o consolar (objetivos emocionales) o enrolar o involucrar (objetivos de la voluntad). El verbo que describe las acciones del maestro revela el tipo de objetivo que usted está usando. Segundo, su objetivo debe incluir una declaración que revele la actividad de aprendizaje específica que usted quiere llevar a cabo. Nuevamente utilice un verbo para identificar el objetivo específico. El maestro pudiera planear llevar a los alumnos a saber o comprender (objetivos intelectuales), a sentir o apreciar (objetivos emocionales) o a aplicar o comprometer (objetivos de la voluntad). Tercero, un buen objetivo identificará el cambio específico que usted quiere lograr. En un objetivo educacional este cambio será adquirir un nuevo conocimiento. Un objetivo inspirador se referirá a una actitud o sentimiento específico que debe cambiarse o desarrollarse. Un objetivo motivador se relacionará con la acción específica que tendrá lugar. Cuarto, los mejores objetivos se declaran de manera concisa. Mientras más largo sea el objetivo escrito, menos probabilidades tiene usted de lograrlo en su sesión de clases. Si usted no ha sido conciso, a menudo eso es resultado de no tomar tiempo para pensar bien lo que quiere lograr exactamente. Por último, tome tiempo para evaluar su objetivo antes de la lección. En su libro *Blueprint for Teaching,* John Sisemore sugiere seis preguntas que le ayudarán a evaluar su objetivo.

1. ¿Es lo suficientemente breve como para recordarse?
2. ¿Es suficientemente específico como para satisfacer necesidades?
3. ¿Es lo suficientemente claro como para ser evidente?
4. ¿Es lo suficientemente práctico como para ser alcanzable?
5. ¿Es lo suficientemente interesante como para provocar participación?
6. ¿Es lo suficientemente como para apoyar el objetivo final?[1]

Cuando usted sabe adónde va, el viaje siempre es más agradable. Comience a escribir su propio objetivo esta semana y empezará a enseñar con más eficacia.

Nota

1. Sisemore, John, *Blueprint for Teaching,* Broadman Press, Nashville, TN, 1964.

CAPÍTULO 10

ES IMPORTANTE HACER EL BOSQUEJO DE LA LECCIÓN

María Luisa miró los papeles diseminados en la mesa de su cocina. Le gustaba estudiar la lección un poquito cada día de la semana, pero había tanto contenido que abarcar. No sabía por dónde empezar. ¿Cómo iba a desarrollar la lección? Aunque fuera para niños pequeños la lección debía desarrollarse de manera natural. Mientras María Luisa seguía leyendo sus notas y los libros para el maestro, de repente exclamó: "¡Eso es!", a pesar de que no había nadie más en la habitación. Vio un modelo de cómo podría desarrollar la lección. Tomó tres hojas de papel y escribió un tema en cada una. Luego comenzó a clasificar las notas y colocó varias páginas en cada una de las pilas. Algunas de las ideas que había anotado no encajaban en ninguna de las tres pilas, ella decidió que ese material realmente no era tan importante.

BUSQUE ESTRUCTURA PARA SU LECCIÓN

Uno de los desafíos que un maestro enfrenta cada semana es buscar la estructura correcta para elaborar la lección. Tal y como los músculos de su cuerpo cobran forma alrededor de su esqueleto, de la misma manera el contenido de su lección necesita una estructura para ayudarle a presentar la verdad y para ayudar a sus alumnos a recordar la lección. Esa estructura a menudo se describe como bosquejo de la lección. Un bosquejo es como un mapa que le evitará perderse y le ayudará a llegar a su destino. Un bosquejo enumera los puntos principales y los subpuntos de una lección en una secuencia lógica. En algunos currículos impresos para niños más pequeños se ofrecen bosquejos útiles. (Si usted no tiene ningún currículo, el currículo de Gospel Light ofrece hojas con instrucciones que se pueden arrancar y que usted puede poner en su Biblia.

> *El bosquejo de una lección es como un mapa que le evitará perderse y le ayudará a llegar a su destino.*

Estas hojas están disponibles desde infantes hasta los adultos.) Los maestros que no están seguros de sus bosquejos son más dados a desviarse cuando imparte una lección, lo que hace que los alumnos se frustren. Cuando usted usa un buen bosquejo, verá que será más fácil recordar los principios importantes y será más dado a comunicarse de una manera más eficaz.

PREPARAR EL BOSQUEJO DE LA LECCIÓN

Al preparar el bosquejo de la lección, arregle los distintos conceptos que va a enseñar de acuerdo a su valor relativo. Los maestros abordan este proyecto de maneras diferentes. Usted pudiera escoger elaborar el bosquejo de la lección con una serie de preguntas y respuestas. Una segunda opción podría implicar elaborar la lección en base a una serie de proposiciones. En otras ocasiones usted puede seguir la lógica de un planteamiento, y desarrollar una hipótesis. Usted puede plantear y resolver problemas. Otras lecciones se imparten mejor cuando el bosquejo de la misma se basa en una serie de palabras claves las que, cuando se entienden, hacen énfasis en el concepto que se enseña. O, como muchos otros maestros bíblicos, usted puede escoger seguir una exposición del pasaje versículo por versículo. Independientemente de la forma que adquiera el bosquejo de su lección, debe cubrir ampliamente cualquier cosa que usted quiera tratar. Tome tiempo para escribir el bosquejo de su lección. Determine cuán fácil es para usted recordar el bosquejo. Si a usted se le hace difícil recordarlo, a sus alumnos probablemente también. Algunas veces utilizar un acróstico o aliteración en su bosquejo pudiera hacerlo más fácil tanto para usted como para sus alumnos.

Tal vez aquí se imponga el hacer una advertencia. Cuando su bosquejo se preste fácilmente para usar un recurso de memorización como la aliteración, úselo, pero tenga cuidado con tratar de forzar cada bosquejo para que adquiera esta forma. El uso de términos arcaicos o acuñar nuevas expresiones para que encajen en su bosquejo pudiera no ayudar para nada a los alumnos que usted está enseñando. Quizá se vayan del aula más impresionados con su creatividad que con el mensaje verdadero que usted está tratando de comunicar. Una vez que haya escrito el bosquejo de la lección, revise sus contenidos. Desarrolle un dominio de la lección antes de impartirla. Tal vez quiera poner una copia de dicho bosquejo frente a usted mientras da la lección, pero asegúrese de conocerlo lo suficientemente bien de manera que no esté atado al mismo durante la clase. Por lo general el bosquejo de su lección es una herramienta para guiarle cuando enseña. Pero a algunos maestros les resulta útil imprimir y distribuir el bosquejo al grupo, especialmente en el caso de los adultos. Esto es útil si usted tiene mucho contenido en su lección. Algunos maestros pudieran escribir el bosquejo en la pizarra o en un rollo de papel grande puesto sobre un atril. Y ahora que proliferan tanto las presentaciones en PowerPoint, usted pudiera usar el bosquejo con un televisor o proyector de LCD.

Así como un buen objetivo de enseñanza le ayuda a evaluar qué es importante enseñar, un buen bosquejo de la lección le ayuda a determinar la manera de comunicarlo mejor.

C A P Í T U L O   11

LOS ALUMNOS APRENDEN CUANDO HABLAN

—Lo que más me gusta de nuestra clase de Escuela Dominical es cuando podemos hacer preguntas —dijo Ricardo cuando se terminó la clase—. Una cosa es escuchar al maestro explicar la lección, pero yo entiendo mejor las cosas cuando todo el mundo se involucra en el debate.

Un debate puede tener vida propia y transformar su enseñanza. A medida que los distintos miembros de la clase comparten sus ideas, otros se sienten cómodos haciendo su propia contribución. En un debate cada persona habla según su propia perspectiva y trasfondo. Como resultado, cada cual aporta nueva información, interpreta las Escrituras o aplica la lección.

El método del debate se enfoca en el alumno. Sus alumnos no aprenden lo enseñado en sus lecciones hasta que las hayan comprendido y expresado con sus propias palabras. Normalmente el maestro es el facilitador, y su habilidad determinará la eficacia de un debate. Así que es importante hacer buenas preguntas. Con los niños pequeños es importante es importante elaborar preguntas que estén acordes a sus capacidades cognitivas. Por ejemplo, los niños pueden responder a preguntas como: ¿Quién? ¿Qué? ¿Cuándo? ¿Dónde? ¿Por qué?

También pueden responder a preguntas de comprensión que no requieran respuestas "difíciles" sino que promuevan el debate. Por ejemplo: "¿Cómo crees que se sintió el hijo pródigo cuando regresó a casa y su padre lo recibió con un gran abrazo?" Las preguntas de aplicación ayudan a los alumnos pequeños a usar la información de manera personal: "¿Cuándo te has sentido como el hijo pródigo quien regresó a casa y recibió un gran abrazo de su padre?" Un maestro puede determinar si se está aprendiendo y tocar el corazón del alumno según la manera en que este responde a las preguntas de aplicación. El carácter y la calidad de la comunión de su grupo determinarán que se produzca un buen debate. La participación rara vez es efectiva en un grupo que se caracterice por la división y donde los miembros tienden más a ser retraídos en lugar de ser expresivos. Para mejorar la calidad de un debate, trabaje en mejorar la calidad de la comunión entre los miembros del grupo.

MANTENER EL RUMBO DEL DEBATE

Una vez que el grupo está participando, el maestro debe dirigir el debate constantemente hacia una meta. El maestro debe tener un propósito definido y un plan para llegar a la misma y proporcionar dirección en el camino.

> *Sus alumnos no aprenden lo enseñado en sus lecciones hasta que las hayan comprendido y expresado con sus propias palabras.*

Aunque el debate puede ser uno de los métodos más fáciles e interesantes de la enseñanza, tiene complicaciones y riesgos. Hay dos dificultes en el debate. La primera es lograr que los alumnos hablen. El maestro puede haber experimentado debates que nunca avanzan. Al presentar el tema de manera que sea interesante para la edad del grupo y usar algún incidente que sea relevante a sus experiencias, usted puede estimular a casi cualquier grupo a participar en un debate. Pero primero asegúrese de dar a los alumnos la oportunidad de sentirse cómodos entre sí. La segunda dificultad es que todo el mundo pudiera querer hablar a la misma vez. El maestro con este problema necesita mostrar firmeza. No tenga miedo de sugerir algunas ideas con relación a la cortesía y prepárese para que los alumnos se vayan por la tangente o para que la conversación de desvíe increíblemente cuando toquen el tema del "juego de anoche" o algún otro tema de interés personal. Tal vez usted necesite apoderarse del debate por momentos para mantenerle encausado, pero eso es preferible a dejar que se vaya de control. Por lo general una mezcla de diplomacia y conocimiento del tema, con una compresión de la naturaleza humana, vencerá esta dificultad.

IDEAR PREGUNTAS BUENAS

Para usar de manera eficiente el tiempo del debate, es importante aprender a idear buenas preguntas. Un buen debate es aquel que hace que el alumno aprenda a considerar muy bien un tema y expresar una respuesta bien pensada. Tal pregunta tendrá varios resultados:

* mantiene la atención
* aumenta el descubrimiento de una nueva verdad
* enfoca el debate en un tema
* anima a los alumnos a expresar ideas y respuestas con su propias palabras
* ofrece aplicaciones prácticas de la verdad
* facilita opiniones

Al hacer preguntas en un debate, evite aquellas que puedan responderse con un sencillo sí o no, a menos que se usen para dar lugar a otra pregunta. Además procure mantener sus preguntas cortas y sencillas. A veces un debate puede perder el dinamismo cuando el líder del grupo presenta una pregunta confusa y elaborada en medio del proceso.

COSECHAR LOS BENEFICIOS

Los maestros que usan el debate de manera más eficiente por lo general tienen grupos más pequeños. Los grupos pequeños de 6 a 12 miembros suelen tener buenos debates. Pero algunos maestros pueden dirigir un debate eficientemente con grupos de 20 a 30 alumnos. Una ventaja del debate es que permite al maestro reconocer y utilizar el liderazgo en un grupo. Aquellos que aportan nuevas ideas pueden ser valiosos en el futuro. Las contribuciones de estas personas se habrían perdido por completo con el método tradicional de orador-oyente. Existen muchas maneras de enseñar la Biblia con eficacia y de ayudar a sus alumnos a aplicar las Escrituras a sus vidas. No permita que el tamaño de su grupo le impida usar el debate para involucrar a los miembros del grupo en el estudio de la Biblia esta semana.

Capítulo 12

A VECES ENSEÑAR ES DISERTAR

El templo pudiera no haber sido su aula ideal, pero Javier considelaba que era un honor enseñar la Clase Bíblica del Templo. Cada semana su clase llenaba aproximadamente un tercio del templo. El tamaño y el lugar hacían difícil evitar que la clase pareciera otro culto de la iglesia pero Javier se esforzaba y tenía algún éxito. Escoger no enseñar desde el púlpito ayudaba y también usaba un retroproyector. Aunque a veces hacía que la clase se dividiera en grupos de dos o tres para debatir una pregunta, sabía que no le quedaba otra opción que disertar la mayor parte del tiempo. Poner el bosquejo en el retroproyector y animar al grupo a llenar la hoja de la lección ayudaba a mantener involucrados a los miembros de la clase.

Era increíble cuánto material Javier podía cubrir cada semana a pesar de que el grupo era grande. Si hubiera tenido un grupo de estudio bíblico más pequeño, el debate tendría un progreso lento. Javier enseñaba las doctrinas fundamentales de la fe con mucha más facilidad al disertar porque los miembros de la clase eran creyentes que no se involucraban mucho y tenían muy poca base para debatir temas de doctrina. Javier recordó hablar de su clase con un amigo que le visitaba y quieran era de la iglesia a la que él asistía antes en otro estado. "No estás enseñando, solo estás disertando", le comentó su amigo. En su iglesia, los adultos estudiaban en grupos de estudio bíblico de 12 a 15 personas y que eran muy interactivos. De todas maneras los que eran miembros de la clase de Javier sentían que estaban aprendiendo. Muchos les habían dicho cuándo apreciaban la manera en que él explicaba los versículos y aplicaba la lección de la semana a la vida cotidiana. Algunas llevaban años asistiendo a la iglesia pero les parecía que conocían mejor lo que creían gracias a las lecciones de Javier.

Enseñar mediante la narración

En el pasado las clases de adultos impartidas por un maestro principal eran comunes en muchas iglesias. En ese contexto la enseñanza a menudo estaba enfocada en el maestro y se usaban mucho las conferencias. Pero a medida que las iglesias comenzaron a reclutar más maestros y a organizar grupos más pequeños, hubo una tendencia a menospreciar el método de la conferencia y promover los métodos interactivos en el estudio bíblico. ¿Perdió la disertación su capacidad de comunicar la verdad claramente? ¿Acaso fue una manera eficaz de enseñar la Biblia en algún momento?

> *Disertar es derramar el poder de las palabras mediante su personalidad en las vidas de sus alumnos.*

Disertar es derramar el poder de las palabras mediante su personalidad en las vidas de sus alumnos. Aunque en algunos círculos es muy popular no estimular el uso del método de la disertación por parte de los maestros, este puede usarse eficazmente, especialmente cuando se equilibra con otros métodos. Jesús usó este método de enseñanza al menos en cuatro escenarios. Él respondía a las preguntas usando una disertación (ver Mateo 18). Usaba una disertación cuando dirigía una actividad nueva (ver Marcos 10:5-42). También usó la disertación eficazmente para resumir una lección aprendida recientemente (ver Lucas 16:1-13). Tal vez su uso más eficaz de la disertación era cuando quería hablar sobre un asunto con autoridad (ver Mateo 5-7). Algunos maestros, como Javier, no tienen otra opción que aprender a disertar eficazmente. El tamaño de sus grupos o las características de sus salones hacen que sea difícil usar otros métodos de enseñanza. Tal vez usted se encuentre en una situación similar, pero incluso si usted tiene una clase más pequeña y enseña en un aula que le permite usar otros métodos de enseñanza, puede disertar eficazmente de maneras diferentes para comunicar una verdad importante.

PREPARAR UNA DISERTACIÓN EFICAZ

A la disertación se le ha llamado una conversación organizada que involucra tres partes:

- introducción
- discusión del tema
- conclusión

La discusión del tema de la disertación por lo general se elabora con un bosquejo. De la misma manera que se utilizan varios métodos para hacer el bosquejo de una lección, existen muchas maneras en las que usted puede bosquejar el cuerpo de su disertación. Usted podría organizarla mediante una serie de preguntas y respuestas. Hacer el tipo de preguntas que los miembros de su grupo pudieran hacer y responderlas ayudará a los alumnos a aprender mejor. También pudiera organizar su disertación en base a una serie de declaraciones. Así es como la mayoría de los maestros comunican sus lecciones. Una tercera opción podría ser seguir un argumento lógico para demostrar su idea. Por ejemplo, cuando enseñe los atributos de Dios, prepare su conferencia al presentar los versículos en un orden lógico que demuestre que Dios es santo, fiel, misericordioso o bondadoso. Sus ideas pueden llevar a sus alumnos a una conclusión ineludible. Usted pudiera desarrollar su conferencia en base a los eventos que ocurren en el pasaje que usted está estudiando. Este es un método especialmente bueno cuando se imparte un estudio narrativo o biográfico. Los eventos del pasaje o de la vida de la persona proporcionarán un bosquejo para su conferencia. Hasta los niños pequeños pueden beneficiarse del método de disertación en forma de ejemplos prácticos. Pueden conseguirse muchos libros buenos con ideas sobre cómo usar también los ejemplos prácticos. El uso de ejemplos concretos es un método de disertación eficaz para los niños y es una gran manera de ayudarlos a aprender, especialmente entre tercero y sexto grado.

IMPARTIR UNA DISERTACIÓN EFICAZ

Una disertación es más eficaz cuando la usa para guiar a los alumnos mediante puntos específicos. Esto significa que usted debe procurar mantener el interés durante la conferencia. Dos maneras de hacerlo son a través del uso de la ilustración y las opiniones. Cuando Jesús enseñaba usaba parábolas o historias para ayudar a las personas a comprender mejor el principio que estaba enseñando. Estas ilustraciones eran como ventanas a través de las cuales la luz brillaba para exponer la verdad. A veces un alumno puede olvidar la lección pero recordar la ilustración. Cuando la ilustración da vida a la verdad central de la lección, de todos modos usted ha tenido éxito con su enseñanza. De vez en cuando Jesús hacía una pregunta o hacía alguna cosa para animar una respuesta de parte de sus oyentes. Las opiniones le permiten evaluar cuán bien usted mantiene el interés de sus oyentes. Algunos maestros hacen una pregunta retórica para hacer énfasis pero cuando los miembros de la clase comienzan a responder la pregunta, los maestros saben que han tenido éxito. Aunque es verdad que disertar pudiera ser uno de los métodos de enseñanza de los más abusados entre los que usan los maestros de la Escuela Dominical, usted puede usar este método para comunicar muchas verdades a sus alumnos. Incluso si usted no utiliza este método de enseñanza, ¿por qué no incorporar una disertación de tres a cinco minutos a la lección de esta semana y ver qué pasa?

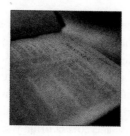

C A P Í T U L O 1 3

LOS ALUMNOS DISFRUTAN UNA BUENA HISTORIA

Los chicos y chicas se inclinaron hacia delante mientras la voz de Rut bajaba. Por instinto sabía que ella estaba a punto de decir algo verdaderamente importante. A los alumnos de tercer grado les encanta el momento de la historia en la ED y la historia de esta semana era un cuento contado por un pez. Rut comenzó la historia contando a los niños de ocho años cómo era ser un pez que nadaba en el mar Mediterráneo. Ese día de repente se formó una tormenta feroz en el mar que sorprendió a todos. Afortunadamente el pequeño pez pudo nadar justo debajo de la superficie junto a un barco enorme para evitar las olas que rompían contra el barco del otro lado. De pronto un hombre cayó al agua y entonces se termino la tormenta. Sorprendido por los acontecimientos, el pez salió de su refugio junto al barco para mirar más de cerca al hombre que se revolcaba en el agua. Mientras observaba, una ballena enorme pasó y se tragó al hombre. Como sabía que la ballena no tendría hambre durante un buen rato luego de tan grande comida, el pececito pensó que estaría a salvo nadando junto a la ballena. Mientras el pececito nadaba, podía escuchar los quejidos que venían de dentro de la ballena. Al escuchar con más atención parecía como si el hombre estuviera orando dentro de la ballena. Unos días después la ballena se veía enferma. Mientras nadaba bastante cerca de la cosa, algo sucedió: con un gran esfuerzo la ballena vomitó todo lo que se había comido, incluyendo al hombre, que todavía estaba vivo. El pez observó tiempo suficiente como para ver al hombre vapulear en el agua hasta que se acercó a la orilla y salió del agua.

CONTAR HISTORIAS ENSEÑA A LOS ALUMNOS

El contar historias es eficaz tanto para niños como para adultos, para nuevos cristianos y para los más maduros, pero tal vez el mayor valor de esto radique en la enseñaza de los niños. Las historias por lo general pueden usarse en cualquier momento y en cualquier lugar. Pueden usarse como parte de una clase, como ilustraciones durante el debate, como parte de la adoración o para relleno si la lección es demasiado corta. Escoja las historias cuidadosamente y conviértalas en parte integral de la lección o de la adoración. Ya que a todo el mundo les gustan las historias, ¡úselas bien!

> *Cuando usted envuelve a sus alumnos en una historia, ha logrado el propósito de su lección y los alumnos pueden compensar a aplicarla a sus vidas.*

Una historia puede usarse para presentar la salvación, para crear y mantener el interés, para introducir ideas nuevas o para permitir a los oyentes que se identifiquen con situaciones de la vida real. Una historia puede ayudar a aclarar ideas equivocadas, a dar soluciones a problemas existentes y a entrenar la conducta moral. Puede crear actitudes deseables o hacer que sus alumnos sean receptivos a una nueva verdad o a experiencias nuevas. Una historia desarrolla la imaginación, cultiva el sentido del humor y tiene a relajar a los oyentes. Un alumno siempre recordará una historia aun cuando todo lo demás se le haya olvidado. Una historia comprende verdades abstractas sobre las experiencias de la vida de manera que los conceptos se entiendan fácilmente. Cuando usted envuelve a sus alumnos en una historia, ha logrado el propósito de su lección y los alumnos pueden comenzar a aplicarla a sus vidas. Una historia no es un informe, una serie de descripciones ni una sucesión de acontecimientos. Es una narración acerca de personas o sucesos que despierta interés desde el principio y lo mantiene hasta el final. Las historias tienen un orden lógico en los hechos, un clímax y una conclusión que no deja preguntas ni cabos sueltos.

ESCOGER LA HISTORIA

Al escoger una historia mantenga la ocasión en mente. Por ejemplo, no escoja una de las historias espeluznantes cerca de batallas en el Antiguo Testamento para un período de adoración. Si la historia es parte de una lección, asegúrese que la idea de la historia sea la misma que la de la lección. Algunas historias pueden usarle para ilustrar más de un tipo de lección, pero no fuerce demasiado la aplicación. Tenga en cuenta la duración de la historia y la cantidad de tiempo que usted tiene para la lección. Si no sabe cuánto tiempo tendrá, escoja una historia que puede alargarse o acortarse fácilmente. La edad del grupo ayudará a determinar la duración de la historia. Con niños muy pequeños es importante usar palabras que sean más concretas que abstractas y si es necesario, esas palabras deben estar ligadas a las acciones. Y recuerde, el nivel de atención de un niño dura aproximadamente un minuto por cada año de edad. La edad de los oyentes también determinará muchos otros factores. En el caso de niños muy pequeños, escoja historias que puedan vincularlos con su limitada experiencia. Tenga cuidado de usar palabras que expresen pensamientos e ideas concretos en lugar de conceptos abstractos. Por ejemplo, las ideas abstractas de amor, fe, obediencia, etc., deben explicarse mediante acciones. Los detalles no deben ser extensos y la descripción debe ser mínima. A los niños mayores les encantan las historias de héroes y con mucha acción. Los adolescentes y los adultos por igual quieren detalles, realismo, poca repetición y un gran clímax. Use un vocabulario adecuado para su público (las palabras sofisticadas solo aburren a los niños e impresionan a muy pocos adolescentes).Además, si los oyentes no comprenden las palabras, pierden parte de la historia y se rompe la continuidad. Una historia persuade a los no convencidos. Su interés en la historia y la manera en que usted la cuente determinarán cómo será recibida. Si usted muestra entusiasmo, los oyentes se entusiasmarán, porque el entusiasmo es contagioso. Cuando usted disfrute las historias que cuenta, su clase también lo hará.

CAPÍTULO 14

LOS ALUMNOS APRENDEN MIRANDO

Los ojos de Sandra se abrieron mucho cuando entró al aula de la Escuela Dominical. No pudo evitar ver las legras en color rojo del tablero que anunciaban el Día de San Valentín. No fue hasta que ocupó su asiento para la sesión de apertura en el departamento de segundo y tercer grados que ella notó los carteles nuevos en la pared de enfrente. Cada cartel estaba relacionado con una lección que se impartiría en las próximas semanas. Siete niños ayudaban a la maestra a mantener en alto hojas rojas brillantes con formas de corazón en las que estaba escrito el versículo a memorizar. Cada vez que leían un versículo sobre el amor, se daba vuelta a una de las páginas y se quitaba de la vista una palabra clava. Es increíble cuán pronto los niños se aprenden los versículos cuando se utilizan ayudas visuales. Cuando el grupo más grande se dividió en grupos más pequeños para la clase, la maestra de Sandra puso en una pizarra de franela los personajes para contar la historia. Más adelante en la clase algunas niñas usaron las figuras para volver a contar la historia durante el tiempo de repaso. La foto de Sandra estaba en "la pared de la fama" junto con las de otras chicas de la clase. La maestra explicó que cada chica de la clase tenía su foto en la pared porque Dios las conocía y eran importantes para él. Las ayudas visuales son objetos, símbolos, materiales y métodos que apelan a nuestro sentido de la vida y ayudan a aclarar el pensamiento al hacer concretas las ideas. Las ayudas visuales son útiles en el proceso de enseñanza-aprendizaje. Un uso adecuado de las ayudas visuales ayuda a aclarar el material, ilustra puntos difíciles, hace que el aprendizaje sea más duradero (los niños recuerdan el 50 por ciento de lo que ven), complementa otros métodos de enseñanza, acelera el proceso de aprendizaje, mantiene la atención, mejora la conducta, hace que el aprendizaje sea más agradable y hace que lo atractivo a los ojos se convierta en una ventana para el alma.

LAS DEFICIENCIAS EN EL USO DE LAS AYUDAS VISUALES

El uso excesivo de ayudas visuales puede ser un obstáculo para la buena enseñanza si se convierten la lección en sí mismos o si se convierten en un sustituto de los métodos tradicionales de enseñanza. No se limite a una forma de ayuda visual ni deje que las herramientas se conviertan en una fuente de mero entretenimiento. El uso de ayudas visuales tiene algunas desventajas y limitaciones. Por ejemplo, el costo asociado con las ayudas visuales puede ser prohibitivo. El mantenimiento de ayudas mecánicas y el reemplazo de los materiales pueden ser costosos. Algunas iglesias carecen del espacio que se requiere para el almacenamiento de ayudas mecánicas grandes (títeres y materiales para el escenario).

> *El uso adecuado de las ayudas visuales aclara el material, ilustra puntos difíciles y hace que el aprendizaje sea más duradero.*

En cambio, las ayudas visuales pequeñas (pizarras de franela y dispositivos para carteles) están limitadas a que solo puedan verlas grupos pequeños. Las ayudas visuales proyectadas (el uso de retroproyectores, los proyectores de películas, etc.) requieren espacio para sentarse, buena acústica y buena iluminación. Y toma tiempo preparar y recoger tales ayudas visuales, escribir guiones para las mismas y entrenar a las persona para su uso. Pero estos problemas no son insuperables.

PAUTAS PARA EL USO DE LAS AYUDAS VISUALES

Existen varias pautas para ayudarle a utilizar las ayudas visuales de manera más eficaz en la enseñanza.

1. *Conozca el campo.* Tome tiempo para conocer lo último en métodos de enseñanza y en el uso eficaz de las ayudas visuales.

2. Conozca los *productos de ayudas visuales.* Escoja productos dentro de su presupuesto y con los que esté familiarizado o con los que se familiarizará. Escoja ayudas que sean duraderas, atractivas, profesionales y que presenten el mensaje con eficacia.

3. *Escoja ayudas adecuadas para su situación en cuanto a la enseñanza.* Use ayudas que sean interesantes y comprensibles para cada grupo de edad. Las herramientas deben ser certeras, auténticas, realistas y educativas y no un mero entretenimiento.

4. *Pruebe y practique el uso de las ayudas visuales.* Tenga todos los equipos preparados y probados de antemano. Planee y practique todos los procedimientos mecánicos a fondo. Asegúrese de que las ayudas visuales sean visibles desde todas partes en el salón. Planifique una transición suave al uso de las ayudas visuales. Aplique a las vidas de los alumnos la lección que se ilustra con la ayuda visual.

Una buena ayuda visual ayudará a hacer a los maestros más eficaces y que la lección sea más accesible al alumno, pero si usted no tiene una lección y no tiene una idea que comunicar, una ayuda visual no puede convertir en algo a la nada. Recuerde, una ayuda visual es solo eso, una ayuda. Si se usa adecuadamente, una ayuda visual puede ser de gran valor para su enseñanza.

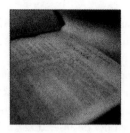

LOS ALUMNOS APRENDEN MEJOR HACIENDO

Los preescolares de la clase de Dora tenían gran interés en la lección que ella presentaba cada semana, pero ese interés por lo general solo duraba unos cinco minutos antes de que sus mentes se fueran a otras cosas y junto con ellas sus activos cuerpecitos. Por lo tanto, a Dora le resultaba frustrante porque tenía que pasar la mayor parte del tiempo de la clase tratando de mantener a los niños bajo control. Entonces ella llegó a una conclusión: *Si no puedo cambiar a los niños, entonces tal vez deba cambiar la manera en que enseño.* Su nuevo enfoque de la enseñanza implicó que ella introdujera una nueva actividad cada cuatro o cinco minutos.

Dios ha puesto una agitación dentro de cada niño pequeño que le dice que se mueva cada tres o cuatro minutos. Decirle al niño que se esté tranquilo no funciona. Dios siempre gana porque el niño siempre se mueve. Por lo tanto, trabaje con la naturaleza de los niños pequeños y no en su contra.

La clave de una enseñanza exitosa en los niños muy pequeños es mantenerlos involucrados mediante el uso de diversos métodos de aprendizaje durante una hora de enseñanza. Esta táctica hace que usted sea un mejor maestro porque es más probable que aquellos a quienes usted enseña aprendan cuando usted emplea varios métodos durante la hora de enseñanza. A medida que desarrolla su propio estilo de enseñanza, aprenda a incorporar en sus lecciones diversos métodos de enseñanza y ayudas para el aprendizaje.

> *Su meta como maestro es motivar e involucrar a sus alumnos en el proceso de aprendizaje.*

Un método es una herramienta o estrategia que se utiliza para motivar e involucrar a los alumnos en el proceso de aprendizaje. Ya que las personas aprenden mejor cuando están involucradas, algunos llaman a los métodos de enseñanza actividades de aprendizaje. Independientemente del término, el objetivo sigue siendo el mismo. Su meta como maestro es motivar e involucrar a sus alumnos en el proceso de aprendizaje. Los maestros eficaces descubren que el aprendizaje se logra mejor a través de la variedad. "Pero yo no soy tan creativo," podría objetar usted. Lo bueno es que las ideas no tienen que ocurrírsele a usted solo. Considere la siguiente lista de métodos de enseñanza que ha sido recolectada a lo largo de muchos años de talleres en convenciones de la Escuela Dominical:

acrósticos	dioramas
tareas	drama
carteles	lectura dramática
crítica de libros	trabajo en dúos
lluvia de ideas	exposiciones
tablillas informativas	excursiones
grupos de debate	películas
estudio de casos	pizarras de franela
grabaciones	ilustraciones
pizarras	tarjetas didácticas
gráficos	rotafolios
lectura coral	foros
respuesta en círculo	juegos
coloquio	trabajos manuales
concursos	himnos

estudio inductivo de la Biblia
centros de interés
entrevistas
llevar diarios
conferencias
escribir cartas
mapas
memorización
móviles
maquetas
monólogos
montajes
multimedia
murales
música
ejemplos prácticos
proyecciones
informes orales
retroproyector
pinturas
paneles de discusión
pantomimas
papel maché
parafrasear
fotografías
afiches
oración
desfiles

actividades
proyectos de aprendizaje
marionetas
rompecabezas
preguntas y respuestas
acertijos
recitar
investigar
juegos para repaso
juegos de roles
decoración del salón
mesa de arena
investigación de la Escritura
seminarios
proyectos de servicio
obras teatrales satíricas
diapositivas
canciones
vitrales
narración de cuentos
encuestas
simposios
testimonios
asociación de palabras
talleres
videos
ayudas visuales

Muchos de estos métodos pudieran no ser adecuados para el grupo que usted enseña, pero algunos sí lo serán. Si usted aprendiera a usar un método nuevo cada semana y lo mantiene durante un año, al final dicho año habrá usado 50 maneras diferentes de enseñar la Biblia en su clase.

ESCOGER LOS MÉTODOS APROPIADOS

El mayor problema no es encontrar un método sino escoger el método adecuado para su grupo. Ese proceso puede simplificarse al seguir algunas pautas en cuanto a la selección del método.

Primero, escoja un método que le ayudará mejor a lograr su objetivo de enseñanza para esa parte de la lección. Si usted quiere promover el compañerismo, su método de enseñanza debe promover una interacción saludable dentro del grupo. Si usted tiene la intención de comunicar un contenido nuevo, sus mejores métodos de enseñanza deben estar más centrados en el maestro. No olvide la edad y/o la madurez de aquellos a quienes enseña. Los métodos de enseñanza deben ser adecuados para esa edad.

También considere el tamaño de su grupo. Algunos métodos de enseñanza son más adecuados para un grupo más pequeño. Por ejemplo, los debaten tienden a ser más efectivos en un grupo de 6 a 12 personas. En cambio, a los conferencistas más eficaces les resulta más fácil dirigirse a un grupo grande que a un grupo pequeño.

Las finanzas pueden ser un factor importante al escoger un método de enseñanza. Un maestro con acceso a la tecnología pudiera usar una presentación en PowerPoint como parte de una lección, pero en otra iglesia el costo de una computadora y un proyector pudiera estar fuera de sus recursos financieros. Tal vez usted quiera usar un retroproyector pero tendrá que conformarse con una pizarra.

La disponibilidad de los equipos es otro factor cuando se escogen algunos métodos de enseñanza. Los equipos audiovisuales disponibles para usted le ayudarán a determinar si usted utiliza retroproyectores, películas, diapositivas, videos, etc. En lugar de enfocarse en lo que no puede hacer debido a estas restricciones, permita que le desafíen a pensar en otras maneras creativas de comunicar su lección.

Existen otros factores a considerar al escoger un método de enseñanza en particular. Estos pueden incluir la frecuencia con que se ha utilizado el método últimamente, el estilo de aprendizaje de los miembros de su grupo y el tiempo disponible cada semana para la clase.

EVALUAR SUS MÉTODOS DE APRENDIZAJE

A medida que considera las diversas formas de impartir su lección, no será raro que se le ocurran dos o tres métodos buenos para cada clase. En búsqueda de la excelencia usted querrá usar los mejores métodos disponibles. Recuerde, un método es solo una herramienta para ayudarle a hacer el trabajo. Al final de la jornada, evalúe la eficacia de su herramienta de acuerdo a cuán bien se haga el trabajo. Para un maestro de escuela dominical eso quiere decir: ¿Ha cambiado la palabra de Dios una vida como resultado de la lección que usted ha enseñado?

C A P Í T U L O 1 6

LA ENSEÑANZA SE BASA EN LO QUE LOS ALUMNOS YA SABEN

José estaba frustrado con el repaso que el grupo hizo de la lección. Sus alumnos solo conocían unas pocas de las historias del Antiguo Testamento que él había enseñado en los últimos meses. Entonces se dio cuenta de que las historias de Abraham, Isaac, Jacob y José estabas relacionadas entre sí. Cuando él vio cómo encajaban juntas, comprendió que tenía que cambiar su enfoque en la enseñanza y basar cada historia nueva en las lecciones anteriores.

Después José entendió que las historias se relacionaban con su propia vida. Así que cuando vinculó las historias bíblicas con las vidas de sus alumnos, estos empezaron a aprender y a retener lo que él estaba enseñando. Su enseñanza no solo debe relacionar los hechos entre sí sino que usted debe vincular la lección con la vida. El aprendizaje se produce cuando el alumno relaciona los hechos con su propio estilo de vida.

LAS BASES

Sus alumnos aprenden mejor cuando integran la lección a lo que ya saben. Póngase como meta hacer que sus alumnos integren la lección a sus vidas para crecer y llegar a ser saludables en cada aspecto de la vida y para llegar a ser más como el Señor Jesucristo (ver Efesios 4:13-16). Cuando usted presenta el material a los alumnos, usted crea un problema. Hablar sobre los diezmos pero no hacerlo sobre el trasfondo histórico del Antiguo Testamento pudiera confundir a sus alumnos. Algunos maestros asumen que las lecciones anteriores se almacenan en la mente de los alumnos en "archivos" para su uso en el futuro. Pero las lecciones son más bien como herramientas para usarse y no como archivos en un armario. Cada lección es una herramienta que será usada para construir una casa.

Otro posible problema se presenta cuando los maestros no familiarizan a los alumnos con aspectos básicos antes de pasar a una lección nueva. El repaso es fundamental para el aprendizaje, pero volver a mencionar los hechos no es suficiente.

> *El aprendizaje se produce cuando los alumnos*
> *relacionan los hechos con su estilo de vida.*

Pensar que enseñar quiere decir llenar la cabeza de los alumnos con conocimiento es un concepto erróneo. Este enfoque en la enseñanza trata al conocimiento como hechos aislados que se vierten en la mente en lugar de verlo como poder, influencia y vida. Los alumnos son como un río en movimiento que llega al aula y continuará fluyendo después de salir de la misma. Cuando su grupo llega usted debe añadir experiencias y hechos a sus vidas y comprender que se irán de la clase y continuarán aprendiendo de otras fuentes.

Toda la enseñanza debe avanzar con un rumbo determinado. Está bien repetir una lección pero la enseñanza que carece de propósito y es repetitiva no es una enseñanza adecuada. Se dice que uno no puede sacar oro nuevo de una mina vieja. Tal vez sea verdad, a menos que usted cave más adentro. Con la misma idea, usted puede sacar más de lecciones anteriores al repetir y buscar el otro que sus alumnos pueden usar en sus propias vidas. Demasiado a menudo los maestros tratan al conocimiento como una cesta de papas donde cada papa está separada de las demás por su propia corteza. Esta manera de verlo es incorrecta. El conocimiento debe estar interrelacionado para tener significado. Una buena enseñanza siempre relacionará un hecho con otro, los hechos con la vida y una vida con otra. No debemos pedir a los alumnos que reproduzcan las lecciones usando nuestras propias palabras. Ellos pueden repetir después de nosotros sin embargo no saber realmente lo que hemos enseñado. Los alumnos deben reproducir las lecciones con sus propias palabras. Por lo tanto use palabras que sean significativas para los alumnos para que puedan expresar la lección. Con demasiada frecuencia pensamos que los maestros que trabajan duro son aquellos que mejor comunican. No es así. La vida de un alumno cambia en proporción directa a su participación en la lección. Sin embargo un maestro que está involucrado en la Palabra a menudo está conectado con la fuente, la Vida, será capaz de reflejar el amor de Dios a sus alumnos y acercarlos a las verdades que se enseñan en la Palabra.

PASOS SALUDABLES PARA DESARROLLAR LAS LECCIONES

Una meta fundamental de la enseñanza es integrar la lección a las experiencias pasadas del alumno. Hay 10 pasos que asegurarán que la lección se aplique de manera práctica a la vida del alumno.

1. *Relacione cada pasaje de la Biblia con toda la Escritura.* Una lección es como un rayo en una rueda, se necesita cada rayo para que la rueda dé vueltas. La enseñanza debe relacionar un capítulo de la Biblia con el contexto del libro completo y luego relacionar cada libro con toda la Escritura. Ya que la mente del alumno tiende a cerrar cualquier vacío que quede en un círculo, un maestro eficaz cierra el círculo al responder a cualquier asunto pendiente.

2. *Relacione cada lección con el todo de la vida del alumno.* Parte del proceso de aprendizaje es ayudar al alumno a ver cómo las cosas encajan.

3. *Use ilustraciones reales de la vida moderna.* Los alumnos de la generación de las computadoras pudieran no identificarse con arados tirados por caballos y casas sin electricidad. Cuando las ilustraciones resuelven problemas modernos los alumnos se identifican con las personas de la historia y aplican las respuestas a sus vidas.

4. *Use ejemplos positivos de la Escritura.* Dios ha comunicado sus principios para su pueblo mediante las vidas de las personas en la Escritura.

5. *Identifique ejemplos positivos que ya estén presentes en la vida del alumno.*

6. *Resuelva problemas.* Se ha dicho que enseñar es "encontrar una herida y sanarla". Cuando identificamos problemas en las vidas de los alumnos y les damos respuestas, ellos pueden transferir esas lecciones a sus vidas.

7. *Señale las relaciones en la lección.* Enseñar no es solo presentar hechos, significa mostrar la relación entre los hechos de manera que los alumnos recuerden la relación. Busque "el pegamento". El evangelio es el pegamento que une al hombre con Dios, una confesión aplica el pegamento para mantener a los creyentes en buena comunión con él.

8. *Señale los principios.* Dios no espera que su pueblo viva de acuerdo a sentimientos, corazonadas o una fe ciega. Él quiere que vivan de acuerdo a los principios bíblicos. Ayude a los alumnos a ver la relación entre un principio y la lección del mismo.

9. *Motive a los alumnos a establecer principios bíblicos y vivir de acuerdo a los mismos.* Usted influirá en las vidas de sus alumnos de manera permanente al usar cada técnica de motivación posible para lograr que ellos reconozcan los principios bíblicos y vivan según los mismos.

10. *Relacione los nuevos principios con los ya conocidos.* La enseñanza requiere que el maestro establezca conexiones para el alumno mientras el maestro dirige las actividades de aprendizaje. Una de las actividades de aprendizaje más eficaces es relacionar hechos, principios y conceptos con la vida del alumno.

LA MEMORIZACIÓN ES NECESARIA

Robert Raikes, el editor de un periódico, escuchaba atentamente mientras los chicos recitaban los versículos de la Escritura. Raikes no era ministro sino un obrero laico que comenzó un experimento llamado la Escuela Dominical. Era el año 1780, y reunió a los niños pobres y carentes de educación de su ciudad, que a menudo aparecían en las noticias de delitos que salían en su periódico, en la cocina de una señora que ofreció un lugar donde se les enseñara a los niños la Palabra de Dios. Al principio Raikes iba a las cárceles a enseñar la Palabra de Dios. Pero entonces se sintió inspirado por la frase "es mejor precaver que tener que lamentar". Estos niños no podían ir a la escuela porque trabajaban muchas horas seis días por semana junto con sus padres. Ya que el domingo era el único día que no trabajaban, Raikes decidió que ese era el día para enseñar a los niños. Sin bombo ni platillos, Raikes contrató a un maestro y reunió a un grupo de niños para su experimento de la Escuela Dominical. El maestro enseñó a los niños a leer para que pudieran leer la Biblia. Pero Raikes sabía que los niños necesitaban motivación, fue entonces que se le ocurrió un plan ara regalar una moneda dorada por valor de 20 dólares a todo el que pudiera memorizar el libro de Proverbios completo. Cuando los niños comenzaron a aprenderse el libro capítulo por capítulo, él observaba con satisfacción a medida que sus caracteres se transformaban. Veinte dólares era mucho dinero en 1780, pero Robert Raikes entendió que acababa de comprar una bagatela cuando vio las vidas cambiadas.

MOTIVAR A LOS ALUMNOS PARA QUE MEMORICEN

Aunque no recomendamos ofrecer dinero por la memorización de la Escritura, existen maneras maravillosas de memorizar la Biblia y algunas ayudas para que usted logre que sus alumnos lo hagan.

1. *La Biblia mantiene a sus alumnos lejos del pecado.* El mundo dice: "Más vale prevenir que curar", pero el salmista escribió: "En mi corazón he guardado tus dichos, para no pecar contra ti" (Salmo 119:11). Ya que la Biblia es santa, no puede habitar donde reina el pecado. Dentro de la cubierta de la Biblia de Dwight L. Moody estaban escritas las palabras: "Este libro te mantendrá lejos del pecado o el pecado te alejará de él".

2. *La palabra memorizada vendrá al rescate si usted resbala y peca.* El mismo salmista preguntó: "¿Con qué limpiará el joven su camino? Con guardar tu palabra" (Salmo 119:9). La Palabra de Dios es un limpiador espiritual. Jesús les dijo a sus discípulos: "Ya vosotros estáis limpios *por la palabra* que os he hablado" (Juan 15:3, cursivas del autor). El apóstol Pablo explicó que Cristo murió por la iglesia "para santificarla, habiéndola purificado en el lavamiento del agua *por la palabra*" (Efesios 5:26, cursivas del autor).

3. *La Biblia te convierte en un cristiano eficaz.* ¿Qué dirías del carpintero que trató de construir una casa sin un martillo y un serrucho? Muchos cristianos son igualmente insensatos cuando intentan servir a Dios sin sus herramientas. Por lo general el obrero que conoce la Escritura será el más eficaz. Usted puede aprender las Escrituras al memorizarlas. Cada cristiano necesita un conocimiento práctico de "la espada del Espíritu, que es la palabra de Dios" (Efesios 6:17).
4. *La Biblia cultiva el crecimiento en Cristo.* Pedro aconsejó a sus convertidos: "desead, como niños recién nacidos, la leche espi-

ritual no adulterada, para que por ella crezcáis para salvación" (1 Pedro 2:2). El crecimiento espiritual se produce cuando memorizamos la Biblia.

5. *La memorización de la Escritura mejora su vida de oración.* Jesús prometió: "Si permanecéis en mí, y mis palabras permanecen en vosotros, pedid todo lo que queréis, y os será hecho" (Juan 15:7). Juan escribió después: "y cualquiera cosa que pidiéremos la recibiremos de él, porque guardamos sus mandamientos, y hacemos las cosas que son agradables delante de él" (1 Juan 3:22). Dos palabras para resumir lo que se necesita para memorizar la Biblia: "repetición" y "repaso". Casi todo lo que usted ha aprendido desde que nación vino mediante la repetición y el repaso. Si usted hace algo lo suficiente, se formará un hábito. Si usted repite un poema suficientes veces, lo recordará. Si usted recita un versículo suficientes veces, lo memorizará. La pregunta clave es: ¿cuántas veces es suficiente? Mi respuesta: tantas veces como sea necesario, y luego unas pocas veces más para asegurarse. Cada persona tiene una capacidad de aprendizaje diferente. Algunos leen un versículo una vez y ya se lo saben. Otros pudieran recitarlo 20 veces y olvidarlo al día siguiente. Los educadores coinciden en que los niños memorizan más rápido que sus padres. Esto no quiere decir que los adultos no pueden memorizar las Escrituras, solo que puede ser más difícil para ellos. Usted puede mejorar la memorización de la Escritura para pequeños y grandes por igual al escribir los versículos en carteles grandes que muestren una imagen atractiva (esto también ayuda a decorar la clase).

COMPLETAR LA ENSEÑANZA

La enseñanza no ha terminado solo porque su alumno ya puede recitar el versículo. El versículo memorizado no se ha aprendido realmente hasta que no haya sido puesto en práctica en la vida de una persona. No es suficiente solo saber un versículo; a Josué se le dijo "que guardes y hagas" (saber y practicar, Josué 1:8). Un buen currículo usará un versículo durante todo el transcurso de la lección para dar significado al versículo. Esto también facilitará la memorización. Un elemento crucial cuando enseña a los alumnos a memorizar la Escritura es orar para que Dios use los versículos para desafiar, consolar e inspirar a cada alumno a usar las verdades de la palabra de Dios en su vida. Cuando usted ore, confíe en que Dios tocará la vida del alumno con le poder de la Palabra. Además aplique el versículo a sus asuntos personales y profesionales porque cada alumno verá cómo usted implementará la Escritura de Dios en su vida diaria.

CAPÍTULO 18

EN UN MINUTO USTED PUEDE INFLUENCIAR UNA VIDA

Beatriz sentía la tensión aumentar mientras miraba su reloj una vez más. *En unos minutos comienza todo,* pensó. Mientras daba la bienvenida a sus alumnos ella y su equipo sabían que enfrentaban un desafío al enseñar a chicos de la escuela intermedia. Si no captaban la atención de los alumnos en cuanto llegaran, perderían la ventaja. El primer minuto de la enseñanza es lo importante, pero incluso más adelante en la lección hay ocasiones en las que usted pasa de un tema a otro o de una idea a otra. Incluso en estas transiciones, el primer minuto determinará si usted capta la atención de los alumnos o si los pierde.

Un minuto no parece mucho tiempo, pero sus alumnos han sido condicionados a pensar en módulos de tiempo que duran un minuto. Yo noté que en un juego de béisbol televisado hubo tres comerciales insertados cada vez que los equipos cambiaban el bateador. Las compañías que gastaron miles de dólares comprando espacios de transmisión, gastan miles más para filmar un comercial que dé a entender su mensaje.

La televisión tiene un efecto poderoso en nuestra manera de pensar. La generación anterior pudiera haberse tomado le tiempo para escuchar un argumento bien razonado para entender un asunto, pero la gente de hoy quiere la información rápida y concreta. Los partidos políticos elaboran declaraciones detalladas de sus políticas y hacen campañas con respecto a los diferentes asuntos pero a menudo es el político que mejor habla quien se lleva el voto. Cuando usted llegue el domingo por la mañana a su clase de Escuela Dominical, tiene un minuto para producir una impresión. Si usted capta la atención de sus alumnos rápidamente puede enseñar con eficacia. Si pierde la oportunidad, puede que hable mucho, pero es muy probable que su grupo esté pensando en otra cosa.

> *Cuando usted llegue a impartir su clase de Escuela Dominical, tiene un minuto para producir una impresión.*

CÓMO CAUTIVABA JESÚS A SUS OYENTES

A veces Jesús captaba la atención con una historia de la vida real. Sus parábolas eran cortas, concisas y recordables. Al estudiar su lección, recuerde un suceso de su pasado que le ayudó a aprender esta lección y luego hable del mismo. Los alumnos pudieran escuchar su historia y comenzar a pensar en el principio que usted está enseñando antes de darse cuenta de que están aprendiendo. A veces Jesús usaba un estudio de caso para hacer entender su idea. Él hizo notar la historia de una viuda que dio todo lo que tenía cuando echó unas monedas en la caja de la ofrenda en el templo (ver Marcos 12:41-44). Jesús enseñaba a sus oyentes acerca de dar. Contó la historia de una fariseo y un recaudador de impuestos que oraban en el templo, para hacer que la gente pensara en su manera de orar (ver Lucas 18:9-14). Y le contó a la gente sobre la diferencia entre un mendigo pobre, Lázaro, y un hombre rico, para que sus oyentes pensaran en cómo vivían sus propias vidas (ver Lucas 16:19-31).

A veces una historia del noticiero local se convertía en el punto de partida en una de las lecciones de Jesús. Las personas hablaban sobre las muertes trágicas de un grupo de galileos que habían muerto mientras ofrecían sacrificios cuando Jesús mencionó el hecho e instó a sus oyentes a arrepentirse del pecado o encontrarse con un destino similar (ver Lucas 13:1-3). Un pastor muy eficaz siempre comenzaba su mensaje del domingo por la mañana hablando sobre un evento o asunto que hubiera sido debatido por presentadores de televisión esa semana. Él había llegado a la conclusión de que el asunto que captó la atención de los televidentes también captaría la atención de aquellos que lo escucharan. Entonces explicaba lo que Dios decía acerca del asunto. Jesús también usó lecciones prácticas. Llamó a un niño en medio de sus oyentes para enseñarles sobre la humildad (ver Mateo 18:2-4). Pidió una moneda cuando quiso enseñar a sus críticos sobre pagar los impuestos y darle a Dios (ver Mateo 22:19-21). Y dirigió la atención de sus discípulos a una vida cuando les enseñó sobre la relación íntima que podrían tener con él después de que él fuera a la cruz (ver Juan 15:4-8). Jesús a menudo usaba una pregunta para captar la atención y hacerse entender. Muchas veces la pregunta que Jesús usaba en realidad provenía de sus oyentes. Sus discípulos preguntaron: "¿Quién pecó, este o sus padres?" cuando vieron junto al camino a un hombre que había nacido ciego. Cuando fue desafiado a amar a su prójimo como a sí mismo, un hombre preguntó: "¿Y quién es mi prójimo?" (Lucas 10:29). Ambas preguntas fueron seguidas de lecciones importantes. Jesús también usó el drama. En su última noche con los discípulo hizo el papel del siervo más bajo de la casa al lavar los pies de sus discípulos para enseñarles sobre la humildad (ver Juan 13:4-16). Algunas veces Jesús comenzaba con una declaración bien conocida para presentar una lección. Varias veces en el Sermón del Monte usó la expresión "Oísteis que fue dicho" y luego citaba una interpretación rabínica conocida de la ley (ver Mateo 5:1-48). En otras ocasiones él dijo: "Escrito está", y citaba un texto del Antiguo Testamento (ver Mateo 4:4, 7, 10). Jesús entendía que usar el mismo método en cada lección no lograría siempre el fin deseado. Él usó diferentes métodos para captar la atención de las personas y para hacer entender sus ideas. A veces también utilizaba maneras diferentes para captar la atención del mismo grupo. Lo que sea que haga, de semana en semana utilice la variedad en su lección de la Escuela Dominical.

CÓMO PREPARAR SU INTRODUCCIÓN

Con un poquito de trabajo, usted puede sacar el máximo provecho al primer minuto de su hora en la Escuela Dominical.

Planificar la introducción a su lección es a menudo lo último que usted hace en el proceso de prepararse para enseñar. Esa introducción debe estimular a los miembros del grupo para estudiar lo que está a punto de ser enseñado. En su libro *Pedagogía fructífera* (Mundo Hispano), Findley B. Edge sugiere cinco preguntas que usted debe hacerse al preparar la introducción.

1. ¿Cómo captaré el interés del grupo al comienzo de la lección?

2. ¿Cómo dirigiré este interés hacia el deseo de leer o estudiar la Biblia?

3. ¿Cómo procuraré garantizar que la lectura de la Biblia esté llena de significado?

4. ¿Qué preguntas debo hacer al grupo para dirigir su estudio a medida que leen las Escrituras?

5. ¿Cómo debo dirigir el debate de las preguntas luego que se haya leído la Escritura?

LA APLICACIÓN LO ES TODO

Entonces, ¿qué diferencia marcará en su vida esta semana nuestra lección acerca de la oración? —preguntó Marcos a su clase de chicos en edad de escuela intermedia.

Era una pregunta que él hacía a menudo a su grupo de la Escuela Dominical. Algunas preguntas la hacía dos o tres veces a lo largo de la lección. Esta semana la pregunta apareció al comienzo de la lección.

—Supongo que debemos orar más —dijo un chico de diez años. El grupo acababa de leer varios pasajes en el Nuevo Testamento donde Pablo pedía a sus lectores que oraran por él.

—Me parece buena idea —dijo Marcos—. Pero, ¿por quién vamos a orar? ¿Y por qué asunto vamos a orar?

El debate continuó mientras varios miembros del grupo señalaban cosas por las que Pablo le pedía a la gente que orar. Cuando llegó el final del debate los chicos llegaron a la conclusión de que debían orar por los pastores y misioneros de la iglesia.

—Muy bien entonces —dijo Marcos—, ¿quién quiere hacerlo? En la iglesia de Marcos se imprimía en la contraportada del boletín una lista de todos los misioneros que la iglesia tenía. Él asignó los nombres de los misioneros a los chicos y luego dijo:

—¿Por qué no empezamos ahora? —los miembros del grupo inclinaron las cabezas para orar mientras cada niño oraba por el misionero que había adoptado para esa semana. Después de unos minutos, Marcos dijo:

—Solo nos quedan cinco minutos más. Vamos a separarnos en grupos de dos como compañeros de oración y cada uno de ustedes mencione una o dos peticiones de oración específicas, así que terminemos la clase orando unos por otros. *Solo tres versículos esta mañana,* pensó Marcos. Entonces una sonrisa se dibujó en su rostro al observar a un par de chicos que todavía estaban orando. *Pero realmente entendemos estos tres versículos.*

OIDORES Y HACEDORES

La gran pasión de los maestros es aprender una nueva verdad y comunicarla de manera eficaz a su grupo, pero la prueba decisiva de la enseñanza es cuando los alumnos ponen las lecciones en práctica a diario. Adquirir una nueva comprensión no es suficiente. Santiago instó a sus lectores: "Pero sed hacedores de la palabra, y no tan solamente oidores, engañándoos a vosotros mismos" (Santiago 1:22). Pablo también reconoció que si "entendiese todos los misterios y toda ciencia…y no tengo amor, nada soy" (1 Corintios 13:2). Cuando usted enseña necesita llevar a los alumnos más allá de simplemente aprender cosas nuevas a aplicar la lección. De lo contrario, ¿qué han aprendido los alumnos? Jesús dijo: "enseñándoles que guarden todas las cosas que os he mandado; y he aquí yo estoy con vosotros todos los días, hasta el fin del mundo" (Mateo 28:20). La aplicación lo es todo.

APLICACIÓN Y RESPUESTA

Cuando usted ha bosquejado el contenido de su lección, trabaje en el desarrollo de aplicaciones específicas para la vida diaria. Algunos maestros están tan comprometidos con enseñar el contenido que se olvidan de hacer que la verdad sea aplicable a la vida. La planificación de sus lecciones a menudo parece un enorme tren de carga. Comienzan (con la locomotora) y luego viene vagón tras vagón de información. La longitud del tren solo la determina la cantidad de tiempo destinado a enseñar un hecho tras otro. Cuando los miembros del grupo se van, saben que la próxima lección comenzará con el próximo vagón de datos. El maestro enseña, pero los miembros del grupo han hecho poco para aplicar las verdades a sus vidas.

Cuando la enseñanza se ve como un ministerio, la meta siempre es vidas cambiadas. Jesús dijo que debemos "[enseñarles] que guarden" (Mateo 28:20). Por lo tanto, planifique partes de su lección para que promuevan la aplicación práctica de lo que usted enseñe. La naturaleza específica de esa aplicación debe estar directamente relacionada con el objetivo de enseñanza de esa sesión. A menudo la mayor parte de su aplicación se producirá en la conclusión de la lección. Al escribir la conclusión incluya lo siguiente:

- un breve resumen de la lección
- una aplicación específica
- la respuesta que usted espera de parte de los miembros de su grupo

> *Cuando la enseñanza se ve como un ministerio,*
> *la meta siempre es vidas cambiadas.*

Es muy probable que su grupo de la Escuela Dominical comprenda la verdad cuando sepan que esa verdad se aplica sus vidas. Cuando pida una respuesta, sea específico con relación a lo que usted quiere que hagan los miembros de su clase. Pídales que respondan a lo que ha sido enseñado. Muchos maestros concluyen sus lecciones con una vaga apelación a la salvación, independientemente del contenido de la lección. Por el contrario, un maestro pudiera pedir a los alumnos que se comprometan con un programa de lectura de la Biblia de dos o tres semanas después de una lección acerca de la Biblia o a orar diez minutos cada día como respuesta a una lección sobre la oración. Tenga cuidado con la manera en que concluye su lección de la Escuela Dominical. A algunos maestros les es difícil animar la aplicación de sus lecciones porque con su lenguaje corporal con las palabras que usan indican que la sesión ha terminado. Cuando un maestro cerró su Biblia al final de la lección para comenzar su conclusión observó que varios miembros del grupo cerraron sus Biblias y se prepararon para marcharse. A la semana siguiente dejó la Biblia abierta mientras concluía la lección y observó que tuvo la atención de la clase completa durante toda la lección. ¿De qué trata su lección para esta semana? ¿Cómo podrían sus alumnos aplicar la lección a sus vidas? Busque maneras de animarlos a ser oidores y no solo hacedores de la Palabra.

CAPÍTULO 20

EXAMINAR ES IMPORTANTE

Ana se sentía bien con el efecto que su ministerio de enseñanza tenía en las vidas de las chicas de secundaria. Era el último domingo del trimestre, la lección que por lo general ella comenzaba con "Vamos a examinarnos". Ella revisaba su lista de preguntas cuidadosamente preparadas para dejar que las chicas contaran lo que habían aprendido. La sesión comenzaba con la versión de Ana del juego "¿Quién quiere ser millonario?" Ella tenía una bolsa con premios diferentes que se otorgarían en dependencia de cuánto avanzara cada chica en su lista de preguntas. Después del examen, la clase compartía refrescos mientras cada una escuchaba cómo las chicas habían aplicado algunas de las lecciones aprendidas en las últimas semanas. Ana veía el examen como una prueba de su propia eficacia como maestra y como una oportunidad de mostrar a las chicas cuánto habían aprendido.

BENEFICIOS DE EXAMINAR

Medir el progreso de sus alumnos es uno de los varios beneficios relacionados con examinar. Sus sueños para sus alumnos implican más que el solo hecho de que asistan a las clases. Examinar le permite saber lo que sus alumnos realmente están aprendiendo. Usted también puede usar el examen para motivar el aprendizaje. Un maestro de alumnos de primaria siempre comenzaba la clase abriendo un paquete de caramelos de regaliz y mordisqueaba uno mientras contaba la historia. Los niños sabían que al final de la historia habría preguntas y un enorme caramelo para cada niño que pudiera responder las preguntas. Los niños no solo estaban motivados a aprender sino que cuando uno interrumpía, otros lo acallaban para poder escuchar la historia y recibir los caramelos. Examinar también ayuda a evaluar cuán bien usted está enseñando. Todos necesitamos una evaluación periódica. De hecho, como maestro, algún día usted será evaluado por Dios (ver Santiago 3:1-2). Examinar puede ayudarle de dos formas. Primero, usted puede identificar los puntos fuertes de su enseñanza, sobre los cuales usted puede edificar (ver 1 Tesalonicenses 5:21). Segundo, usted puede identificar aspectos problemáticos que necesitan ser tratados mientras usted se esfuerza por ser un mejor maestro.

> *Examinar una lección no es tanto una evaluación de lo que sus alumnos han aprendido como lo es de cuán bien ha enseñado usted.*

CONTENIDO DE UN EXAMEN

Cuando usted haga un examen, comience haciendo preguntas relacionadas con el conocimiento básico y la comprensión. Parte de lo que usted hace cada semana en la Escuela Dominical es comunicar el contenido de la Biblia. ¿Cuán bien están aprendiendo la Biblia sus alumnos? Incluya algunas preguntas cada semana acerca de lecciones anteriores para ser si se está aprendiendo el contenido de la Biblia. Cuando se trata de la Escuela Dominical, crecer solo en conocimiento no es suficiente (ver 1 Corintio 13:2). Usted debe revisar también las actitudes, valores y caracteres de sus alumnos. Al examinar su grupo durante un período de varios meses, ¿qué cambios ve en la actitud y el carácter de varios de los miembros de su grupo? Esto no es algo que usted pueda determinar al usar una lista de preguntas del tipo verdadero o falso. Pase tiempo con sus alumnos fuera de la clase para hablar sobre el cambio en sus vidas, esa es una gran manera de repasar.

Usted también debe examinar decisiones, conducta y hábitos. Su meta en la enseñanza es lograr un cambio en la conducta. A medida que sus alumnas aprendan la Biblia, el Espíritu Santo puede usar sus lecciones para cambiar a cada alumno para que se parezca más a Jesús. Cuando Ana escuchaba a sus alumnas de secundaria hablar sobre las decisiones que estaban tomando en la escuela, ella podía ver cómo sus lecciones estaban siendo aplicadas en las vidas de ellas. La conversación personal es el mejor tipo de repaso. Cuando usted evalúe su enseñanza, sea cuidadoso al escoger las preguntas sabiamente. Sus elecciones deben estar basadas en los criterios siguientes:

- lo que usted quieren que ellos aprender
- edad (es decir, su capacidad)
- los que cambios que usted espera en la vida de ellos

ANALICE ESTOS TRES FACTORES CUIDADOSAMENTE.

Recursos para examinar

Usted pudiera comenzar su examen analizando las estadísticas. Como maestro de la Escuela Dominical debe llevar la asistencia y un registro con otra información en un libro. Lamentablemente estos registros a menudo se ignoran después de que la información se ha recopilado. Una revisión pudiera revelar cosas como patrones de asistencia, puntualidad, preparación para la lección y el alcance. Usted podría llevar cuentas del énfasis que usted mismo hizo, como un concurso para memorizar versículos o traer miembros nuevos. Las opiniones de manera informal son un segundo recurso de la revisión. A veces otros notarán cambios en la conducta de sus alumnos y le comentarán sus observaciones. Esto le facilita una señal del cambio discernible que está ocurriendo en esos alumnos. A veces estas opiniones viene de alumnos que le agradecen por ayudarles mediante un asunto específico que se trató en la lección. Las preguntas son la forma de examen más común. Cuando usted hace preguntas, sus alumnos pudieran no darse cuenta de que usted los está evaluando. Además pruebe comenzar la sesión de clases con las palabras: "Vamos a examinarnos", seguidas de varias preguntas relacionadas con la lección de la semana anterior. A algunos alumnos no les va bien en las pruebas. Puede que tenga algunos que están aprendiendo, pero si se les pone en aprietos frente a los demás, simplemente no pueden recordar. Para evitar esto, usted pudiera convertir su revisión en un juego. Mientras sus alumnos se concentran en jugar, responder una pregunta se vuelve algo secundario. Las pruebas escritas también pueden usarse para examinar. Una clase de adultos de la Escuela Dominical pudiera evaluarse usando un examen de perfil de la personalidad. Algunos maestros usan un inventario de los dones espirituales para ayudar a los miembros de la clase a identificar sus dones espirituales como un repaso de las lecciones acerca de los dones. Usted también puede evaluar mediante proyectos. Mientras más involucrados estén sus alumnos en la clase, mejor aprenderán las lecciones que usted está tratando de enseñar. Cuando usted haga una evaluación, tenga cuidado de llegar a conclusiones en base a una sola pregunta. Todo el mundo tiene un día malo y pudiera haber varias razones por las que un alumno no pudo responder una o más preguntas. Busque un patrón de resultados en varios tipos de evaluaciones antes de sacar conclusiones en cuanto a su enseñanza o cuán bien están aprendiendo sus alumnos.

FRECUENCIA DEL EXAMEN

Entonces, ¿cuán a menudo debe usted examinar? Esa pregunta es difícil y solo usted puede responderla. En general, mientras más usted evalúe, menos estresante se vuelve el proceso. Algunos maestro hacen un poco de examen cada semana. Otros apartan un domingo cada dos o tres meses para hacerlo. Evaluar su enseñanza se parece mucho a mantener el césped de su casa. Usted corta la hierba tan a menudo como sea necesario. Usted evalúa su enseñanza tanto como sea necesario. La evaluación periódica de su ministerio de enseñanza será una parte importante de su crecimiento personal como maestro.

C A P Í T U L O   2 1

LA BUENA
CONDUCTA NO ES
ALGO NATURAL

A Frank le encantaba enseñar a chicos de la escuela intermedia pero
estaba frustrado con los problemas de conducta que enfrentaba. Es verdad que los tiempos eran distintos a cuando él tenía la edad de ellos.
Pensó en dejar de enseñar porque pasaba más tiempo lidiando con los
alumnos problemáticos que impartiendo la lección. El superintendente
aconsejó a Frank y le explicó que involucrar a los alumnos en el proceso
de aprendizaje era el primer paso para corregir los problemas de conducta. Luego describió algunas maneras de tratar con la conducta negativa.
Lamentablemente muchos maestros de la Escuela Dominical tienen
problemas con la conducta de los alumnos. Es un problema de disciplina que ha crecido a un nivel aterrorizante. Los problemas del
pasado, que los alumnos no compartían los lápices de colores o que
les era difícil estarse tranquilos mientras esperaban en fila, eran sen-
cillos en comparación con los de la actualidad. Las nuevas y exaspe-
rantes tensiones provienen de niños que dicen malas palabras, usan
los puños, escupen, muerte o desafían a los humildes maestros.

¿Cómo han reaccionado los maestros? El castigo corporal no es una opción. Algunos maestros les gritan a los alumnos, quienes sencillamente les gritan a ellos. Otros maestros aprietan los dientes o lloran o renuncian. ¿Qué provoca la conducta tan desordenada en los alumnos de la actualidad? Por una parte, la conducta permisiva en las escuelas públicas se está trasladando a la Escuela Dominical, pero esto no es el único problema. Los niños de familias cristianas por lo general se comportan mejor que sus contrapartidas de la escuela pública, pero de todas maneras los niños hiperactivos son un problema. Además, los niños pequeños que anhelan el afecto en las guarderías infantiles expresan su deseo con una conducta desobediente y negativa.

> *Cuando Jesús nos dijo que hiciéramos discípulos su idea era que primero nos disciplináramos a nosotros mismos y luego enseñáramos disciplina a nuestros alumnos.*

¿Qué puede hacerse? Los maestros han descubierto que los trucos no mantienen tranquilo a un alumno del siglo veintiuno. En el pasado los maestros otorgaban premios a los alumnos tranquilos o utilizaban la silla misteriosa, una silla que se escogía con antelación y cuyo ocupante recibe un premio o algún otro tipo de reconocimiento especial. Pero estos métodos no siempre funcionan. Los alumnos de hoy deben estar involucrados en el proceso de aprendizaje y la mayoría de los maestros de la Escuela Dominical no están listos o preparados para compartir el control del salón.

La autoridad de la Escuela Dominical

Cuando Jesús nos dijo que hiciéramos discípulos su idea era que primero nos disciplináramos a nosotros mismos y luego enseñáramos disciplina a nuestros alumnos. La autoridad de la Escuela Dominical es la Palabra de Dios mientras que la autoridad de la escuela pública es el proceso democrático. Por lo tanto, los maestros por lo general deben manejar los problemas de manera diferente el domingo. Ya que Dios es amor, los maestros deben comunicar su amor. Ya que la Biblia respalda lo que es correcto, los maestros no pueden permitir que los alumnos continúen con una conducta incorrecta. Ya que los Diez Mandamientos prohíben tomar el nombre de Dios en vano, los maestros no pueden permitir las maldiciones.

DISCIPLINA EFICAZ

La Escuela Dominical debe funcionar junto con el hogar para garantizar una buena conducta. Ya que el obrero de la Escuela Dominical nunca debe tocar a un niño para disciplinarlo (las leyes locales y estatales lo prohíben) y un medio de disciplina negativo será malentendido, la Escuela Dominical debe trabajar en armonía con el hogar.

La primera premisa de la disciplina es que la madre o el padre tienen el derecho y la obligación de disciplinar al hijo. Por lo tanto, el hogar debe estar involucrado en el proceso de enseñanza y no solo en el proceso de la disciplina negativa. La segunda premisa es que la Escuela Dominical debe ser un lugar de amor y aceptación. Por lo tanto, la disciplina negativa debe abordarse con cuidado. ¿Qué pueden hacer los maestros? La buena disciplina en el aula comienza con la autodisciplina del maestro. Los maestros deben prepararse bien, planear las actividades para la clase, dominar el contenido de las lecciones y prestar atención a técnicas de enseñanza interesantes. Deben recordar que escuchar no es aprender, por lo tanto, enseñar no es solo hablar. Los alumnos deben ponerse en pie, estirarse, gritar, marchar y actuar las historias bíblicas. Un obrero con niños de edad primaria dirige a los pequeños en una gimnasia espontánea al comienzo de la clase. Pueden saltar por todas partes. "Eso les saca el meneo", explica la maestra. A veces los alumnos se portan mal debido a las condiciones del salón. El aula está demasiado llena, muy desordenada, es demasiado caliente o demasiado oscura. Las instalaciones adecuadas no garantizarán una buena conducta, pero si están en malas condiciones producirán la conducta contraria.

Los maestros pueden calmar la mala conducta al conocer a sus alumnos y luego llegar temprano los domingos para hablar con ellos antes de la clase. Cuando un niño es rebelde, sea amigo de ese niño y recuérdele que la Escuela Dominical es un lugar para aprender acerca de Jesucristo. Al compartir amor y atención un maestro pudiera satisfacer la propia necesidad que hace que el niño se rebele en el aula. Un aula pudiera ser una situación intimidante para muchos alumnos, por lo tanto, ellos pueden reaccionar. Elimine parte de la coerción al hacerles saber lo que usted espera. Los alumnos responderán mejor cuando sepan lo que se espera de ellos. No responda a sus alumnos en base a prejuicios o predisposiciones. A algunos maestros no les gusta que los varones tengan el cabello largo, los tatuajes, los vestidos sucios, las narices goteando o las chicas risueñas y prepotentes. Si un maestro reacciona de un modo personal, la conducta degenera en un concurso de gritos. Cuando un maestro corrige a un alumno falto de disciplina, se produce una discusión, a pesar de que el maestro tiene la autoridad. Asegúrese de que disciplinar al alumno sea el resultado de infringir las reglas y no de choques personales. Otros pasos positivos para lograr una buena disciplina incluyen elogiar la buena conducta, reclutar ayudantes suficientes, que los maestros se sienten entre los alumnos, ayudas visuales atractivas y la oración dedicada por los alumnos problemáticos. Sin embargo, en ciertos casos serán necesarios pasos negativos. Algunos maestros excelentes han cautivado el interés de todos los alumnos de la clase de intermedios con excepción de uno. ¿Qué pasa cuando un chico rebelde se ríe mientras se explica la clase a todo el grupo mediante una historia con la pizarra de franela? La mayoría del grupo que quiere escuchar la lección no debe sacrificarse debido a la mala conducta de un alumno descontrolado. Saque del aula al alumno contencioso. Póngalo en la oficina del secretario. Al hacerlo, él pierde el escenario para actuar delante del resto de los niños; usted quita la presión sobre él y cuando esté fuera del aula podrá aconsejarlo individualmente. Antes de hacerlo, deje que se siente tranquilo y espere. Esto le da a él la oportunidad de pensar. Cuando hable con él acerca de su conducta, apele a las motivaciones adecuadas y ponga en él la responsabilidad de regresar a la clase y mostrar una buena conducta. Su actitud con relación a la conducta es muy importante. Mantenga siempre la meta de una buena conducta frente al grupo.

C A P Í T U L O 2 2

CÓMO HACER QUE SU CLASE SEA ATRACTIVA

Marcia impartía la clase de principiantes en el sótano de la iglesia. Ya que ese lugar era lóbrego, ella se desanimó pero no se había dado cuenta de cuánto el aula influía en su perspectiva. No era de extrañar que sus clases fueran poco animadas. El salón tenía la misma influencia en los niños pequeños. Cuando Marcia asistió a una reunión familiar, se tomó el tiempo de asistir a la clase de principiantes de la iglesia de un pariente. Fue allí donde su enseñanza fue transformada. El salón que ella visitó era similar al que ella tenía en su iglesia, pero la maestra hizo que fuera un lugar alegre para aprender: pintura brillante, buena iluminación, música alegre, alfombras suaves, cuadros colgados a menos altura y un enorme afiche en la pared. Así que Marcia regresó a casa para reanimar su aula y su enseñanza.

CREE UN AMBIENTE MARAVILLOSO EN SU AULA

Los alumnos aprenden mejor cuando disfrutan la experiencia en el aula, cuando el salón no les gusta olvidan la lección rápidamente. Algunos maestros de la Escuela Dominical tienen aulas hermosas en instalaciones adecuadas. Deben alegrarse por la oportunidad que tienen de disfrutar experiencias emocionantes al enseñar. Otros maestros tienen instalaciones menos adecuadas, pero todas las aulas pueden mejorarse con un poquito de creatividad y esfuerzo.

ATMÓSFERA

El aspecto del aula es más importante que lo que a veces pensamos ya que el aprendizaje informal que ocurre en la vida de un niño hace más para moldear los conceptos espirituales y las ideas que la enseñanza en sí. El aula a la que el niño viene semana tras semana pudiera tener tanta influencia en su vida como el plan de lecciones del maestro.

> *Los alumnos aprenden mejor cuando disfrutan la experiencia en el aula, cuando el salón no les gusta olvidan la lección rápidamente*

Las primeras impresiones son duraderas. Los niños merecen el mejor espacio disponible en la Escuela Dominical. El salón no tiene que ser nuevo, pero debe tener buena iluminación y ser alegre y las ventanas deben estar lo suficientemente bajas como para que los niños puedan mirar hacia fuera. Cuando ponemos a los niños en el sótano de la iglesia que es oscuro, frío y sombría, cuando los sentamos en sillas plegables para adultos que son tan altas que sus pies nunca llegan al piso, cuando usamos cosas de segunda mano como mesas, pudiéramos estarles diciendo que "para Dios cualquier cosa es bastante buena". Hay que llevar a los niños a ver la iglesia como un lugar feliz. Si a ellos les gusta la iglesia y quieren a sus maestros, es más que probable que también amen a Dios, porque el ambiente de la Escuela Dominical tiene una tremenda influencia en el aprendizaje de los niños. Tener plantas a las cuales regar, peces a los cuales alimentar y flores olorosas, todos estos dan vida al salón. Poner cuadros al nivel de la vista de un niño, y que se cambien a menudo, le dan a los salones un mejor aspecto y además ayudan al efecto general de la enseñanza. ¿Es su salón tan atractivo como le es posible hacerlo? ¿Necesita un nuevo mobiliario? ¿Existen ayudas visuales que debiera usar? ¿Qué cambios pudieran hacerse en la atmósfera del salón para alegrar más a los niños y hacer que su enseñanza sea más eficaz?

COMODIDAD

Incluso cuando el espacio y las instalaciones son limitados los maestros debieran preocuparse por tener un lugar cómodo para el aprendizaje. Los salones deben tener una calefacción uniforme, los pisos alfombrados, las ventanas diseñadas para permitir que entre tanta luz como sea posible y que puedan abrir y cerrarse con facilidad. La ventilación es tan importante como la temperatura. Un aula con mala ventilación puede ventilarse bien antes de que los alumnos lleguen. Asegúrese de evitar tanto las corrientes incómodas como los salones mal ventilados. Considere el calor corporal generado por maestros y alumnos en un salón repleto. Es muy posible que los maestros que lleguen a un salón ventilado y cómodo, se vayan acomodando poco a poco al aumento de la temperatura y no se dan cuenta de la incomodidad que pudieran estar experimentando sus alumnos. Claramente, es muy probable que un niño incómodo no tenga la mejor actitud para el aprendizaje. La buena iluminación es importante. Si las ventanas no dan luz suficiente, como sucede a menudo con las aulas que están en los sótanos, asegúrese de tener lámparas con luz adecuada en el techo. En aquellas aulas que pudieran verse afectadas por el brillo de la luz solar deben usarse persianas o cristales coloreados.

LIMPIEZA

El departamento de niños de su Escuela Dominical debiera estar tan limpio y organizado como quiere usted que lo estén las habitaciones de su casa. Ponga a las paredes una nueva capa de pintura cada vez que sea necesario. Almacene los suministros organizadamente en los estantes. (Tal vez usted pudiera poner una puerta de madera o una cortina en los estantes.) Mantenga las ilustraciones pequeñas, el papel y artículos como colores, lápices, pomos de goma y tijeras en cajas con etiquetas en los estantes. Deshágase de cualquier material que no sea necesario. Las pizarras informativas deben colocarse a un nivel que los niños puedan ver y las muestras deben cambiarse a menudo. Los alumnos deben tener alguna responsabilidad en cuanto a mantener limpia su aula. El maestro que permite a los alumnos dejar el aula con las sillas volteadas, pedazos de papel en el suelo, pomos de goma abiertos sobre la mesa, los libros regados por los estantes o fango en el piso, se está perdiendo una oportunidad valiosa de enseñar orden y disciplina a los niños. Una buena regla es tener un lugar para cada cosa y cada cosa en su lugar. El aula de Escuela Dominical de los niños debe ser un aula en la que se sientan en casa, y nunca debe permitirse que se convierta ni en un almacén ni es un lugar de exhibiciones. Cada cosa del salón debe tener un uso útil. Si no es así, debe eliminarse. Recuerde que usted necesita al menos 25 pies cuadrados de espacio por cada niño, y eso por lo general no deja espacio ni para almacenar ni para exhibir muebles.

UN ASPECTO ACOGEDOR

Un aula de la Escuela Dominical debe transmitir el mensaje: "Adelante. Este es un salón en el que usted puede hablar con sus amigos y con sus maestros acerca de Dios e incluso hablar *con* Dios". Cada aula debe proporcionar un espacio para trabajar, centros de interés para estimular la curiosidad y espacio para crecer". Los problemas de disciplina a menudo se producen en aulas muy llenas. Cuando las aulas son pequeñas (menos de 20 pies cuadrados por niño), la actividad a menudo se limita a una situación del tipo "hablar y escuchar. Los niños aprenden mejor mediante experiencias directas: investigar, explicar, planificar, consultar, manejar, crear, hablar, trabajar, pegar, hacer preguntas y moverse. Asegúrese de que sus aulas posibiliten tales experiencias.

SUPERE LOS PROBLEMAS DE ESPACIO Y EQUIPOS INADECUADOS

El espacio y los equipos adecuados no siempre están disponibles. Entonces, ¿qué puede hacer usted? Use su ingenuidad y creatividad para vencer los problemas.

- Hable de los problemas con otros maestros.
- Elimine del aula los muebles innecesarios.
- Considere el uso de mamparas para tener más privacidad.
- Use espacio para almacenamiento fuera del aula.
- Use sillas y mesas plegables.
- Use alfombras para sentarse y así ahorrar espacio.
- Déle vueltas a los bancos del templo para que queden uno frente a otro. En los lugares muy apretados use tableros de los que se apoyan en las rodillas.
- Utilice el espacio disponible para mostrar fotos y afiches.

DÉLE OTRO VISTAZO A SU AULA

Camine por su aula de la Escuela Dominical y preste atención a determinados artículos. Yogi Berra dijo: "Uno puede ver mucho con solo mirar". ¿Vio

- hojas de música del coro amontonadas sobre un piano viejo?
- un aula repleta de sillas?
- un bombillo al descubierto en el techo?
- cuadros que cuelgan virados o que están demasiado altos como para que los niños los vean?
- una pizarra informativa que no se ha cambiado durante un mes?
- el cartel de un concurso de asistencia que quedó del trimestre anterior?
- lápices rotos en una caja sucia?
- un gabinete de suministros abierto con pomos de goma feos, montones de proyectos viejos, una pila de tijeras, lápices sin afilar y montones de papeles viejos que eran para llevar a casa?
- mesas con pintura vieja y oscura que son o demasiado altas o demasiado bajas?
- un jarrón con flores plásticas polvorientas?
- sillas disparejas de tamaños y colores diferentes que necesitan reparación?

Un aula regada hace que el niño sienta que la vida está regada. Un aula desordenada hace que el niño se sienta incómodo y molesto. Un aula desatendida hace que el niño se sienta desatendido. La suciedad, el desorden o la falta de cuidado no tienen excusas. Una lámina atractiva diseñada para enseñar a los niños y colgada a una altura que ellos puedan ver es mejor que media docena de láminas baratas que no tienen ningún significado. Los lemas religiosos pudieran ser eficaces pero recuerde, por lo general se expresan con conceptos y los niños pequeños no piensan de manera conceptual sino de manera concreta. Una silla por cada asistente es suficiente. Los niños necesitan espacio, no sillas extra. Si las sillas son diferentes en cuando al diseño o al tamaño, al menos píntelas todas del mismo color y dispóngalas de una manera ordenada y atractiva. Camine por su aula. Usted debe ver algunas de las cosas siguientes:

- ventanas limpias y cortinas brillantes
- luces claras en una lámpara que cuelgue del techo
- sillas que hagan juego y colocadas alrededor de las mesas de estudio
- estantes bajos y libros de apariencia interesante
- materiales atractivos para las artes manuales que sean de fácil acceso para los alumnos
- un buen cuadro colgado a la altura de la vista de los alumnos
- gabinetes de útiles bien organizados y con puertas
- plantas naturales con flores, pececitos de colores
- lápices de colores suficientes y en buen estado para cada niño
- espacio de almacenamiento para cada maestro
- ventanas lo suficientemente bajas para que los niños puedan mirar hacia afuera
- un piso bien limpio, lo suficientemente limpio como para que los niños puedan jugar en él sin ensuciarse
- una tablilla informativa a la altura de la visa y con materiales que cambien al menos cada quince días
- un archivo de imágenes para el maestro
- un buró para el secretario/la secretaria del departamento
- un reproductor de CD o cassettes
- un piano bien afinado que esté pintado o con buen acabado para complementar el salón

Algunas personas piensan que la Escuela Dominical es un edificio tranquilo donde las secretarias caminan en puntillas por los pasillos luego de recoger los libros de asistencia y los maestros se llevan el dedo a los labios para mandar a hacer silencio, pero muchas aulas son ruidosas por la risa, la conversación y los alumnos que se mueven de un lado al otro. ¿Los alumnos aprenden mejor solos o mediante las actividades? Por lo general la Escuela Dominical ha sido tan tranquila como una biblioteca pero los alumnos modernos aprenden al hablar, hacer e interactuar, aprenden mediante un ambiente activo. Mark Hopkins, un reconocido educador, dijo una vez: "Una escuela es un maestro en una punta del registro y el [alumno] en la otra punta". El registro es el aula. El aula es importante porque es el ambiente en el que se producen la enseñanza y el aprendizaje. Así que asegúrese de que su aula diga: "Pase y aprendamos sobre de Dios".

CÓMO LLEVAR LOS ALUMNOS A CRISTO

Luis impartía la clase de alumnos de último año de intermedia en una Escuela Dominical pequeña. Después de asistir a una convención de la Escuela Dominical, Luis comenzó a preocuparse porque no estaba haciendo todo lo que se esperaba de él para alcanzar a los jóvenes para Cristo. Él recordó que un líder del seminario mencionó que la clase de la Escuela Dominical era donde habitualmente se convertían los chicos de escuela intermedia. Luis sabía que eso no estaba sucediendo con sus muchachos, así que pidió ayuda a los directores de seminario. Estos líderes le contaron a Luis varias maneras de ayudar a los alumnos a orar para recibir a Cristo.

EL ENFOQUE CORRECTO

Recuerde que las metas de la Escuela Dominical son
- alcanzar a los alumnos
- enseñar a los alumnos la Palabra de Dios
- ganar a los alumnos para Jesucristo
- y cuidar a los alumnos en el sentido espiritual.

Cuando el enfoque de la Escuela Dominical no olvida el evangelismo, las clases se infunden de nuevas fuerzas. El evangelio es las buenas nuevas de Jesucristo. Una persona debe reconocer y creer en la muerte, el entierro y la resurrección de Jesús para responder al mensaje del evangelio (ver I Corintios 15:1-4). No hay otro mensaje a través del cual las personas puedan salvarse. Jesús dijo: "Yo soy el camino, y la verdad, y la vida; nadie viene al Padre, sino por mí" (Juan 14:6).

Llevar a un alumno a Cristo es tan fácil y sencillo como presentar a dos personas y hacer que se den las manos y sean amigos.

Haga una invitación pública para invitar a los alumnos a creer en el Señor y ser salvos, haga que los alumnos inclinen las cabezas en oración al final de la clase. Mientras están orando, practique con ellos el plan de salvación:

- Dios los ama.
- Cristo murió con ellos
- Jesús los salvará de sus pecados.

Mientras sus cabezas están inclinadas, anímelos recibir a Jesucristo en sus corazones. Hágales saber que usted les ayudará a orar. Pídales que oren en sus corazones mientras usted los dirige en voz alta.

> *Amador Señor Jesús: Quiero que vengas a mi corazón y seas mi Salvador. Soy un pecador y te pido perdón por mis pecados. Quiero dejar de pecar y volverme a ti. Límpiame de mis pecados con tu sangre. Hazme hijo tuyo y ayúdame a seguirte. Amén.*

PÍDALES A LOS ALUMNOS QUE SE QUEDEN DESPUÉS DE LA CLASE

Al llegar al final de la lección, invite a los alumnos que quieran ser salvos a quedarse después de la clase y hablar con usted acerca del evangelio. En este momento pida a todos los alumnos que salgan del aula y que conversen afuera. De esta manera los que se hayan quedado habrán tomado una decisión deliberada. Por lo tanto usted puede recorrer el plan de salvación y hablar con ellos sobre los primeros pasos para crecer en Cristo. Algunos maestros pudieran pedir a los alumnos que hagan un profesión de fe pública inmediatamente en la iglesia (ver Romanos 10:9).

La "calzada romana" para la salvación

Debemos seguir el camino de Dios para llegar al cielo, así como los viajeros seguían las calzadas romanas durante los tiempos de Cristo. A menudo se usa la calzada romana para la salvación porque los versículo se escogen de un solo libro de la Biblia, la carta de Pablo a los romanos.

Paso uno: Conozca su necesidad "por cuanto todos pecaron, y están destituidos de la gloria de Dios" (Romanos 3:23). No importa cuán buenos seamos, incluso si fuéramos casi perfecto, todavía estaríamos muy por debajo de la norma santa de Dios para la perfección. Usted debe aclarar a la persona rápidamente que usted también es un pecador porque todos hemos pecado.

Paso dos: Conozca la paga del pecado "Porque la paga del pecado es muerte, mas la dádiva de Dios es vida eterna en Cristo Jesús Señor nuestro" (Romanos 6:23). Esto se refiere tanto a la muerte física como a la espiritual. La muerte física se produce cuando el cuerpo y el espíritu del hombre se separan (ver Santiago 2:26). La muerte espiritual se produce cuando uno queda separado eternamente de Dios. Recuerde a la persona que porque es un pecador, sin salvación, le aguar un castigo en el futuro.

Paso tres: Conozca la provisión de Dios "Mas Dios muestra su amor para con nosotros, en que siendo aún pecadores, Cristo murió por nosotros" (Romanos 5:8). Aunque la paga del pecado es la muerte, a cambio Cristo murió por nosotros. Él murió por nuestros pecados porque nosotros no podíamos pagar el precio por ellos. Esta provisión le da a su alumno la opción de recibir o de rechazar el regalo de Dios de la vida eterna.

Paso cuatro: Sepa cómo reaccionar "Que si confesares con tu boca que Jesús es el Señor, y creyeres en tu corazón que Dios le levantó de los muertos, serás salvo" (Romanos 10:9). Creer en Cristo es lo mismo que recibirle. "Mas a todos los que le recibieron, a los que creen en su nombre, les dio potestad de ser hechos hijos de Dios" (Juan 1:12).

Paso cinco: Tome una decisión Después de que haya explicado lo que es la salvación, el alumno no debe quedar solo con el conocimiento. Debe dársele la oportunidad de tomar una decisión. Pida al alumno que ore sencillamente para recibir a Cristo en su vida.

LAS CUATRO LEYES ESPIRITUALES

Explique a sus alumnos que así como las leyes físicas gobiernan el universo físico, las leyes espirituales gobiernan nuestra relación con Dios.

Ley No. uno:

Dios te ama, y tiene un plan maravilloso para tu vida. "Porque de tal manera amó Dios al mundo, que ha dado a su Hijo unigénito, para que todo aquel que en él cree, no se pierda, más tenga vida eterna" (Juan 3:16).

Ley No. dos

El hombre es pecador y está separado de Dios, por lo tanto no puede conocer ni experimentar el amor y el plan de Dios para su vida. "Por cuanto todos pecaron y están destituidos de la gloria de Dios" (Romanos 3:23).

Ley No. tres

Jesucristo es la única provisión de Dios para el pecador. Sólo en él, puedes conocer el amor y plan de Dios para tu vida. Cristo murió por nuestros pecados... Fue sepultado... Resucitó el tercer día, conforme a las Escrituras... Y apareció de Cefas...Y después a los doce... Después apareció a más de quinientos." (1 Corintios 15:3-6).

Ley No. cuatro

Debemos recibir a Jesucristo como Señor y Salvador mediante una invitación personal; entonces podremos conocer y experimentar el amor y plan de Dios para nuestras vidas. "Porque por gracia sois salvos por medio de la fe; y esto no de vosotros, pues es don de Dios; no por obras, para que nadie se gloríe" (Efesios 2:8-9).

EL EVANGELISMO EXPLOSIVO

El plan del Evangelismo Explosivo sugiere una introducción para llevar a las personas a Cristo. En lugar de comenzar acusando a la persona de ser pecadora este presenta los resultados del pecado. Comience preguntando: "Si usted muriera hoy, ¿estaría seguro de ir al cielo?" La segunda pregunta es: "Si usted muriera hoy y se presentara ante Dios y

Dios le preguntara por qué tiene que dejarlo entrar al cielo, ¿qué le diría?"
La presentación del Evangelismo Explosivo es:

- *Gracia:* El cielo es un regalo; pero el
- *Hombre* es pecador y no puede llegar a Dios.
- *Dios* es misericordioso y no nos quiere castigar, pero también es santo y debe castigar el pecado.
- *Jesucristo,* el eterno Dios-hombre, murió para comprar el cielo en lugar nuestro, el regalo de la vida eterna.
- *Fe,* debemos recibir el regalo por fe.

MANERAS ESPECÍFICAS DE ALCANZAR A LOS NIÑOS

Existen herramientas eficaces diseñadas para llevar el evangelio a los niños. Considere los métodos que aparecen a continuación cuando trate de alcanzar a su grupo.

EL LIBRO SIN PALABRAS

El libro sin palabras ha sido usado durante muchos años por los maestros para presentar el plan de salvación a los niños. Es fácil y rápido de hacer para los maestros, se hace con papel de colores. Evidentemente, no hay palabras en el libro sin palabras. El maestro debe explicar cada página de colores y su significado espiritual mientras comparte las páginas con los alumnos.

- *Página uno: marrón o café oscuro.* Esta página oscura se usa para mostrar a los alumnos la oscuridad del pecado en sus corazones (ver Proverbios 4:19). Hable sobre las cosas que hacemos mal que hacen que nuestro corazón se oscurezca con el pecado. El castigo por el pecado es la muerte (ver Romanos 6:23).
- *Página dos: roja.* La página roja nos dice cómo Dios preparó un camino para que nuestros pecados sean perdonados. Explique que la sangre de Jesucristo, el hijo de Dios, nos limpia de todo pecado (ver 1 Juan 1:7).
- *Página tres: blanca.* Explique a los alumnos que sus corazones pueden ser tan blancos como la nieve cuando Jesucristo quita sus pecados (ver Isaías 1:18).
- *Página cuatro: verde.* Este color representa el crecimiento y la vida. Cuando recibimos a Jesucristo tenemos vida eterna (ver 1 Juan 5:12-13).

- *Página cinco: dorada.* Explique que el dorado representa las calles del cielo, donde todos pasaremos la eternidad (ver Apocalipsis 21:18).

Aquí es necesario hacer una advertencia: Ya que los niños de menos de ocho años piensan en términos concretos y no de manera conceptual, es importante explicar el simbolismo con palabras que ellos entiendan. Ya que los niños para ganar aceptación a menudo repiten las palabras que los adultos usan, un maestro siempre debe hacer preguntas para descubrir el nivel de comprensión de un niño. Por ejemplo, palabras como "pecado" y "perdón" pueden explicarse de esta manera: "Pecado": Esta es la palabra que la Biblia usa para las cosas mal hechas como robar, hacer trampas, decir mentiras y no creer en Jesús. "Perdón": Cuando Dios te perdona, él hace que todo entre él y tú esté bien.

EL CORAZÓN BLANCO

El maestro debe hacer un corazón de tela blanca. Coloque el corazón blanco frente a los alumnos y dígales que sus corazones deben estar limpios para ir al cielo. Mientras el maestro ilustra un pecado, debe hacer un punto (rojo, violeta, negro o marrón) en el corazón blanco con yodo o con un marcador. Muestre como el yodo o la tinta embarran el corazón. Menciones pecados como la desobediencia, la mentira, el robo, tener pensamientos sucios, etc. En un tazón con cloro para el caso del yodo o con agua para las manchas de tinta, lave el corazón para que se le quiten las manchas. Cuente cómo recibir a Jesucristo como salvador nos lava de todos nuestros pecados y deja nuestros corazones limpios y sin manchas.

LA MANO DEL EVANGELIO

La mano del evangelio se presenta de manera muy similar al libro sin palabras. Para hacerla, el maestro debe tomar un guante de color claro y con marcadores colorear las huellas de cada dedo. El dedo pulgar se coloreará con un color oscuro, el índice de rojo, el del medio de blanco, el anular de verde y el meñique de dorado.

CONCLUSIÓN

Al tratar con adultos use las Cuatro *leyes espirituales,* el *Evangelismo Explosivo* o la Calzada Romana de la Salvación. Sin embargo, los niños tienden a entender de manera diferente, los niños parecen entender siempre la analogía de invitar a Cristo a entrar a sus corazones. Muéstreles que la salvación está ligada al Salvador, quien es Jesucristo. Si ellos quieren ser salvos, tienen que pedirle a Jesucristo que entre a sus corazones. "He aquí, yo estoy a la puerta y llamo; si alguno oye mi voz y abre la puerta, entraré a él, y cenaré con él, y él conmigo" (Apocalipsis 3:20). Explique a los niños que la palabra "cenar" significa compartir una comida o tener comunión. Cuando le pedimos a Cristo que venga a nuestros corazones, él entra y tiene comunión con nosotros. Cuando cada niño incline su cabeza, ayúdele a orar con sus propias palabras:

Querido Señor Jesús, ven a mi corazón y sálvame. Quiero que vivas en mi vida. Hazte cargo de mis palabras, de mis manos, de mis ojos y de mi boca. Vive tu vida a través de mí toma control de mi vida. Ayúdame a ser un cristiano que pueda vivir para tu gloria. Amén.

CAPÍTULO 24

EL CRECIMIENTO DE UNA CLASE SE PRODUCE MEDIANTE EL EVANGELISMO AMISTOSO

Cuando Jerry Faiwell estaba en primer año de la universidad pidió permiso al superintendente de la Escuela Dominical en una iglesia local para impartir una clase. El joven Falwell recibió un libro con un solo nombre, un chico de escuela intermedia cuya asistencia en el pasado había sido intermitente. A Falwell le dijeron que la clase podría reunirse al final del pasillo detrás de una cortina. Durante tres semanas el joven Falwell preparó fielmente sus lecciones e impartió su clase a un solo alumno. Era difícil entusiasmarse para enseñar a una solo persona. Mientras pensaba en el asunto, pensó que o él o el superintendente habían cometido un error. Después de la clase un domingo por la mañana, le devolvió el libro al superintendente y le dijo:

—Esta clase no va a funcionar. —Eso supuse —le contestó el superintendente—. He visto muchachos universitarios como tú antes. No creo que tengas lo que se necesita para hacerla funcionar. Por eso te di esa clase en lugar de una de las clases regulares. El joven Falwell se sintió avergonzado y muy enojado. No estaba acostumbrado a que nadie le hablara así. Cuando el superintendente extendió la mano para recibir el libro, Jerry no se lo dio.

—No, no se lo daré —afirmó—. Esa es mi clase y yo puedo hacer que crezca. Esa semana Jerry Falwell pasó la mayor parte de su hora de almuerzo en un dormitorio universitario vacío, orando por su grupo de un solo alumno y por sí mismo. Él le pidió a Dios que lo ayudara a hacer crecer su clase. Con un único propósito en mente, el sábado por la mañana recogió a su único alumno y fueron a las casas de los amigos de este alumno para invitarlos a la Escuela Dominical. Después fueron a los parques de la zona donde los chicos de la escuela intermedia jugaban los sábados para invitarlos a todos a venir a la Escuela Dominical. Al día siguiente asistieron chicos nuevos a la clase. El sábado siguiente Jerry repitió el proceso, llevó a los chicos nuevos a buscar a sus amigos. Semana tras semana, los sábados estuvieron dedicados a visitar a los amigos de sus alumnos para invitarlos a la Escuela Dominical. Cuando terminó su primer año de la universidad, había 54 niños de la escuela intermedia en esa clase y el superintendente les había dado un aula normal. Jerry Falwell, un pastor, predicador de televisión y fundador de universidad bien conocido comenzó su ministerio fomentando una clase de Escuela Dominical.

LA NATURALEZA DEL EVANGELISMO MEDIANTE LA AMISTAD

Una de las maneras más eficaces de hacer crecer su grupo es mediante las relaciones interpersonales. Cada uno de nosotros es parte de una red social que involucra a amigos, parientes, conocidos y vecinos. Muchos de los miembros de nuestra red no son cristianos. El cristiano promedio en los Estados Unidos conoce a 18 personas que, hasta donde él o ella saben, no tienen una relación personal con Cristo. Identificar a aquellos de sus amigos que no son cristianos es un primer paso para alcanzarlos para Cristo. La manera más fácil de fomentar una clase de Escuela Dominical es cuando sus alumnos invitan a sus amigos y estos se unen.

A veces el evangelismo mediante la amistad, también llamado evangelismo de relaciones, es la herramienta más eficaz que cualquier de nosotros puede usar para alcanzar a las personas para Cristo. Cuando Pedro predicó el evangelio por primera vez en la casa de Cornelio, Cornelio había "convocado a sus parientes y amigos más íntimos" para que escucharan predicar al apóstol (Hechos 10:24). Pablo también usó este método en la ciudad de Filipos, donde luego de la conversión de Lidia, su familiar fue alcanzada para Cristo (ver Hechos 16:15). Lo mismo sucedió con el carcelero de Filipos y su familia (ver Hechos 16:31). Incluso en Roma, antes de que cualquiera de los apóstoles hubiera predicado allí, Pablo sabía de al menos cinco familias que se habían convertido a Cristo (ver Romanos 16:3-5,10-11, 14-15).

> *La manera más fácil de fomentar una clase de*
> *Escuela Dominical es cuando sus alumnos invitan*
> *a sus amigos y estos se unen.*

El evangelismo mediante la amistad ve a cada cristiano como la clave para alcanzar a otros en el medio donde tiene influencia. Los pastores juveniles exitosos saben que la mejor manera de edificar un ministerio juvenil fuerte es movilizar a los jóvenes para que alcancen a sus amigos en sus escuelas. Una iglesia nueva comenzó a usar este método para evangelizar a la generación nacida después de la segunda guerra mundial. Creció de 120 miembros a más de 450 en un período de 18 meses. Ayude a sus alumnos a identificar a las personas en su medio que no conocen a Cristo como Salvador, luego motíveles a orar por ellos y a alcanzar a esos amigos.

SEMBRAR LA SEMILLA

Tome unos minutos para identificar a aquellos en su medio personal. Su ejemplo ayudará a sus alumnos. Comience con su familia, su familia extendida y aquellos que están relacionados con usted ya sea de sangre o mediante el matrimonio. Escriba en un papel los nombres de aquellos que necesitan ayuda espiritual.

Luego considere a sus conocidos. Eso implica aquellas personas con las que usted se codea habitualmente. Su lista debe incluir los compañeros de trabajo o escuela con quienes usted se reúne habitualmente en actividades de rutina como el transporte, las compras, hacer ejercicios, etc. También debe incluir personas que usted conoce al involucrarse mutuamente en diversas actividades comunitarias (por ejemplo: PTA, partidos políticos, clubes de servicio, etc.). Añada a su lista los nombres de aquellos que, hasta donde usted sepa, no son cristianos. Ahora analicemos su vecindario. Al considerar a aquellos que usted conoce por nombre, y que viven en su comunidad inmediata, mencione a aquellos que, hasta donde usted sabe, no son cristianos. No olvide incluir a sus amigos. Hay algunas personas que pudieran ser importantes para usted y que realmente no encajan en ninguno de los tres grupos ya mencionados. Al considerar a estos amigos, mencione a cada uno que, hasta donde usted sepa, necesitan el ministerio de su iglesia. Al revisar su lista, ¿cuántos nombres hay? Los estudios sugieren que mientras más tiempo lleva una persona de cristiana y mientras más se involucra en el trabajo de la iglesia, más pequeña se vuelve la lista de personas no salvas. Esto significa que como maestro de la Escuela Dominical su lista probablemente sea mucho más corta que las listas compiladas por sus alumnos. Sin embargo, no es poco común que esta lista se duplique en una semana a medida que usted ora por los que están en su lista. ¿Por qué? Porque Dios le trae a la mente otros que usted olvidó incluir. Tal vez usted ya pensó en otro nombre que debe ser añadido a su lista. ¿Por qué no toma parte de su próxima lección de la Escuela Dominical para desafiar a su grupo a que use este método del Nuevo Testamento, el evangelismo mediante la amistad, para alcanzar a otros para Cristo? Comience explicando cómo Jesús reunió a sus discípulos (ver Juan 1:35-51). Juan el Bautista presentó a Andrés y a Juan a Jesús. Andrés trajo a su hermano Pedro y después Juan trajo a su hermano Jacobo a Jesús. Felipe llamó a su amigo Natanael y lo llevó a Jesús. De hecho existe alguna evidencia de que 11 de los 12 apóstoles tenían algún tipo de relación social o de negocios entre sí antes de conocer a Jesús. Después guíe a los miembros del grupo por el proceso que usted acaba de hacer para que identifiquen su propio medio personal donde tienen influencia. Tome tiempo para que ellos escriban los nombres en un papel. Cuando termine, desafíe a los miembros del grupo para que usen sus listas como listas de oración durante las próximas semanas. Alguien dijo una vez: "Tenemos que hablarle a Dios de las personas antes de que hablemos a las personas acerca de Dios". Usted puede compilar todos los nombres en una lista de oración. A medida que sus alumnos oren por las personas de sus listas, anímelos a que estén atentos a oportunidades que el Señor pudiera presentarles y que les permitirán compartir el evangelio con sus amigos. Al orar por aquellos que están fuera de la fe, estamos invitando al Espíritu Santo a obrar en sus vidas y mostrarles su necesidad de Cristo. Cuando él haga su obra, nosotros necesitamos estar listas para hacer la nuestra. Dentro de unas seis semanas a partir de ahora programa un Día del Amigo en su clase. Anime a cada miembro del grupo a que traiga al menos a una persona de su lista a la Escuela Dominical ese día. La mayoría de los miembros del grupo querrá invitar a varios amigos, sin saber que circunstancias imprevistas pudieran hacer que sus amigos cancelen a última hora. La lección que usted prepare para el Día del Amigo debe ayudar a los amigos a conocerse mejor e incluir una presentación clara del evangelio.

EPÍLOGO

Ahora que usted ha leído estos 24 "secretos," usted comprenderá que realmente no son secretos. Son sencillamente principios que los maestros eficaces siempre han seguido. Algunos maestros han seguido más principios que otros. Algunos los han aplicado con más rigor. Pero al final de la jornada, si usted va a tener éxito con sus alumnos, tendrá que seguir la mayoría de los principios que se sugieren en este libro. Después de que haya analizado cómo aplicar los 24 secretos, quiero que usted sea un mejor maestro. Pero no nos detengamos con una pequeña mejoría. ¿Por qué no proponerse ser el mejor maestro que haya existido jamás? Luego de leer esa pregunta tal vez usted esté pensando que esa meta no es posible, pero es así porque el mayor maestro de todos es Jesucristo, él es nuestro ejemplo.

Así que enfoquémonos. ¿Por qué no se propone ser el mejor maestro para un alumno? Así como un maestro probablemente haya tenido más influencia en usted que todos los demás maestros que usted tuvo, usted puede tener esa misma influencia en la vida de un alumno. Solo piénselo: de todos los maestros de los que un alumno aprenderá, usted puede ser la mayor influencia en su vida, mayor que cualquier otro maestro humano. ¿Acaso no es eso en lo que consiste la enseñanza eficaz, en influir sobre un alumno para que se convierta en lo mejor que él o ella pueda ser? Después de enfocarse en influir en solo una vida, entonces propóngase influir en todos sus alumnos. Y a medida que usted cambia sus vidas para la gloria de Dios, estará haciendo lo que Dios desea. Que Dios le ayude a influir en al menos una vida, para la gloria de Dios.

Lawrence Richards

COMENTARIO BÍBLICO
DEL MAESTRO

El *Comentario Bíblico del Maestro* está diseñado específicamente para maestros, no solamente de niños, sino también para adolescentes, jóvenes y adultos, repleto de ideas y de cómo enseñar y aplicar las Escrituras a la realidad de nuestros días. Éste es un comentario de la Biblia entera que usted querrá leer para su propio enriquecimiento tanto como para prepararse para enseñar la Palabra de Dios.

ISBN: 1-58802-270-6
Formato: 24 x 16 cm
Páginas: 1296
Tapa: Tela

GUÍA DEL LECTOR
DE LA BIBLIA

Con la *Guía del Lector de la Biblia* usted podrá leer la Biblia con nuevo entendimiento
y mayor comprensión.

Incluye:
- una introducción y bosquejo para cada libro de la Biblia,
- un resumen para cada libro,
- palabras y conceptos claves resaltados,
- recomendaciones para aplicaciones personales,
- comentario de cada capítulo de la Biblia.

ISBN: 1-58802-400-8
Formato: 16 X 24 cm
Páginas: 1100
Tapa: Tela

EDITORIAL
PATMOS

P.O. Box 668767 Miami, Florida 33166, USA
e-mail: patmos@editorialpatmos.com • info@editorialpatmos.com